中公文庫

明日は舞踏会

鹿島　茂

中央公論新社

目次

明日《あした》は舞踏会

プロローグ

何年か前、勤めている女子大の「フランス文化史」の講義を受け持ったさい、十九世紀のフランス小説の主人公たちの夢と日常を再現した拙著『馬車が買いたい！』を参考図書に指定して、

「タイム・マシンで十九世紀のパリに旅をして、一年間生活してきた報告書を書きなさい。一年間の生活費は、少し贅沢ができるように三千フラン（約三百万円）あげますから、なににお金を使ったか家計簿をしっかりつけること」

というレポートを提出させたことがある。

これがなかなか面白かった。まったく架空のレポートなのだから、なにをしようが、な

ににお金を使おうが自由なのだが、こんなことでも性格というものはよく出るものなのか、かたや、『ゴリオ爺さん』のヴォケール館のような貧乏下宿に住んだまま遊びもせずに一年間律義な生活をし、しっかりと千五百フラン貯金してそのままもって帰った学生がいるかと思えば、もういっぽうでは、パリにつく早々、馬車を乗り回して派手に遊び暮し、金がなくなるとパレ・ロワイヤルの賭博場に出かけ、ラスチニャックと同じようにルーレットで自分の年齢の数字に有り金を賭けて大儲けをして、最後は大貴族に見初められて玉の輿に乗った学生もいた。レポートの評価は、ただ報告が当時の現実を踏まえたお金の使い方をしているか否かという一点のみで、どんな暮しをしようがいっこうにかまわないわけだから、どうせなら後者のほうが絶対に得だと思うのだが、どうも想像力というのは、架空の話でもうまく働かないものらしい。

そんなわけで、報告者によってレポートの内容も千差万別だったが、ひとつだけ、どのレポートでもほとんど全員が書きとめていたのが、憧れの舞踏会でワルツを踊ることができてうれしかったという感想である。千五百フラン貯金した学生も、玉の輿に乗った学生も、舞踏会にだけは同じように出かけて楽しい夜を過ごしてきたようだ。

これを読んで、私は、なるほどいつの時代になっても、舞踏会でファースト・ステップを踏みだす瞬間というのが女の子にとっての究極の夢なのかとあらためて感心した次第だが、それと同時に、これはちょっと彼女たちに悪いことをしたなと反省もした。

というのも、『馬車が買いたい！』は、ラスチニャックやフレデリック・モローなどの若者が田舎からパリに出て、馬車が買える身分になるまで立身出世したいと願う物語を枠組みにしている関係で、肝心の舞踏会に関する情報が大ざっぱなものになり、彼女たちの舞踏会に対する渇望を癒すほどの細部を提供できていなかったからである。

そればかりか、本の記述それ自体が若い男の視点からのものになっているため、若い女の子としては、いまひとつ「我らが主人公たち」に同一化ができなかったようだ。たしかに、乗合馬車に乗って故郷を離れるのも、パリで宿探しをするのも、食事を確保するのも、男と女では、状況が相当に変わってくることは確かだ。第一、十九世紀という時代に、十九や二十の若い娘が、いったいどういう資格で「パリに一年間遊ぶ」ことができるのかという疑問に『馬車が買いたい！』は答えを用意していない。

だが、そのとき、ふと、新しい本のアイディアがひらめいた。いっそ、『馬車が買いたい！』のレディーズ・ヴァージョンを書いてみたらどうだろう。すなわち、叢深い田舎で地平線の彼方に輝くパリに憧れていた乙女がなにかのきっかけでパリに上り、だれか親切なアドヴァイザーの助けを借りて魅力的なパリジェンヌに変身して舞踏会に華々しくデビューし、やがて大富豪の美青年と灼熱の恋に落ちる……というような、紋切り型といえば紋切り型だが、若い娘ならだれしもが憧れてやまないラブ・ストーリーを軸にして、『馬車が買いたい！』と同じ方法で十九世紀の小説や風俗観察から細部を補強してゆくならば、我らが主人公の目を通したのでは見えてこなかったこの時代の若い娘たちの生活を浮かびあがらせることができるのではないか？　もし、うまくゆくなら、たんに『馬車が買いたい！』のレディーズ・ヴァージョンというだけでなく、十九世紀の乙女たちが未来に対していだいていた夢想の質までが明らかにされてくるかもしれない。よし、これは、我が学生諸君のためにも、是非とも早急に執筆に取りかからねばならない。

そう考えて早速資料探しを始めたのだが、しばらくすると、これが意外に困難な仕事だということがわかった。なぜなら、「我らが主人公パリに上る」というタイプの小説はそれこそ小説家の数だけあるといっても過言ではないのだが、若い娘を主人公にしたこの手の小説はほとんどといっていいぐらいにないからである。

これはどういうことを意味しているのか。当然、当時の現実を忠実に反映しているのである。つまり、この時代にあっては、女性はひたすら受動的な立場に置かれていたため、たとえその意志があろうとも、思っているように自由に行動して「パリに上る」ことはできず、ボヴァリー夫人のように、田舎の平凡な日常の繰り返しの中で、若い日のロマンチックな夢想を徐々に擦り減らしていくしかなかったのである。

だが、ボヴァリー夫人のような女性が多かったということは、逆にみれば、そうした女性たちが、田舎に埋もれながら、遠くのパリを心に描くときに夢想の糧とすることのできるような類いの文学が存在していたということにならないか？「我らがヒロイン、パリに上る」というタイプの少女版ビルドゥングスロマンは数は少なくとも、田舎でパリに憧れる女性たちが、都でのハイ・ライフを夢見ることができるような仕掛けをもった小説というものがないはずはない。

そう思って、少し別の角度から資料に当たってみると、今度は、ずばりそのものというような小説が見つかった。バルザックが一八四一年から翌年にかけて書いた『二人の若妻の手記』がそれである。

『二人の若妻の手記』は、王政復古の時代に、ブロワのカルメル会修道院の寄宿舎を出て、ともに希望に燃えて人生のスタートを切ったふたりの乙女、すなわち、パリの名門貴族の娘ルイーズ・ド・ショーリューと、プロヴァンスの貧乏貴族の娘ルネ・ド・モーコンブという親友同士が、それぞれ親の家に引き取られてから取りかわす書簡体小説の体裁を取っている。なかでも、ルイーズ・ド・ショーリューが母親の指導よろしきを得て、社交界にデビューし、情熱的な恋愛の末にスペイン貴族と結ばれるまでをルネ・ド・モーコンブに逐一報告する第一部は、ボヴァリー夫人のようにパリの社交生活に憧れる読者にとっては、まちがいなく、社交界のガイドブックのようなものとして読まれていたものと想像できる。

そのせいか、物語全体は偶然によって支配されながら、小説の細部は、カタログ雑誌やマニュアル本並の親切さで丁寧に書き込まれている。おかげで、我々が一番知りたかった「ヒロインたちのパリの日常」が手に取るようにわかる。いいかえれば、この小説をもとにすれば、『馬車が買いたい！』のレディーズ・ヴァージョンを書くことも不可能ではないのだ。

もちろん、そうはいっても、『二人の若妻の手記』に、なにからなにまですべて情報がそろっているわけではない。当然、バルザックの真の意図はパリ・ライフ案内とは別のところにあるから、省略すべきところは、バッサリと省いてある。したがって、そうした部分では、他の小説や風俗観察ものによって細部を補う必要がある。しかしながら、これで一本の大きな柱ができたことは確実で、あとは、こちらのパッチ・ワークの作業がうまくいくか否かにかかっている……。

さあ、前口上はもうこれぐらいでいいだろう。

『馬車が買いたい！』にいまひとつ感情移入できなかったとおっしゃる学生諸君、ならびに女性読者の方々、今度こそは、この本をもとにして、十九世紀のパリに十分に遊んできていただこうではないか。

第1章　乙女の旅立ち

「なつかしい牝鹿さん、とうとう修道院を出てしまったのよ、わたしも！」

十九世紀に青春を送ったフランス女性なら、『二人の若妻の手記』の冒頭に置かれた、ルイーズ・ド・ショーリューのこの言葉を読むだけで、心の中に、人生の決定的な瞬間に対する、ある種の感動に満ちた情動が蘇ってきたにちがいない。すなわち、女だけしかいない修道院付属の寄宿学校から、俗世間に出て、少女から女へ変身をとげたあの瞬間についての記憶である。それは、戦前の日本の女学校、あるいは戦後の女子高校や女子大からの卒業などよりも、はるかに重い意味合いを含んでいたものと思われる。なぜなら、ほとんど幽閉に近い状態に置かれて思春期を過ごした彼女たちにとって、この瞬間だけが、人

生において唯一「自由」の幻想を垣間見させてくれる一瞬だったかもしれないからだ。

モーパッサンの『女の一生』は、あたかもそれを暗示するかのように、十七歳のジャンヌの寄宿学校からの旅立ちをオープニングに配している。

「ジャンヌは荷造りがすむと窓ぎわまで行ってみた。しかし、雨はやみそうもなかった。(……)

昨日、尼さん経営の寄宿学校を卒業したばかりのジャンヌは、これでとうとう生涯自由の身になったところだった。前々から夢に見ていた人生の幸せを、残らず摑もうと待ちかまえている。ただ、このままの天気では、父が出発をためらうのではないか、それだけが心配だった。で、こうして今朝からもう百回も、遠くの空を眺めてみるのだった。(……)

いま、ジャンヌは、若い命に満ちあふれ、幸福への渇望に燃えながら、意気揚々と寄宿舎生活に別れをつげたところだ。昼間の無為、夜の長さ、希望の孤独の中で、はでに彼女の想像力がかけめぐった、もろもろの歓びを、幸運を、いつやって来てもいいように、待ち構えていたのだ」

後に結婚したジャンヌに襲いかかる数々の不幸のことを考えると、「若い命に満ちあふれ、幸福への渇望に燃えながら、意気揚々と寄宿舎生活に別れをつげた」この瞬間こそは、ジャンヌの一生で、唯一最高の一瞬だったということになる。なんとも残酷で、絶妙な対比というほかはない。小説家モーパッサンの技法の冴える箇所である。

『二人の若妻の手記』のルネ・ド・モーコンブも、『女の一生』のジャンヌと同じように、結婚準備のために、修道院の寄宿学校を出て、プロヴァンスの両親のもとに帰っていったひとりだった。彼女は、貧乏貴族である両親と弟を助けるために、隣りの金持ちの貴族レストラード家の長男と見合いして、結婚することになったのだ。

「隣りの老人がルネ・ド・モーコンブを持参金なしで貰い受け、遺産相続のさい、右のルネのものとなるべき金額は、契約書によってあらかじめ定めておくという案をもちだしたとき、パパとママとはわたしのためを思ってその考えを承諾いたしました」

いっぽう、ルネ・ド・モーコンブの親友ルイーズ・ド・ショーリューはといえば、こちらは、あわや一生を修道院で送るはめになるところだった。兄ひとりにだけ財産を相続させたいと願う両親の方針によって、伯母のいるブロワのカルメル会の修道院の寄宿舎にあずけられた彼女は、そこで修道女として一生を送る運命になっていたからである。

ところが、修道院で唯一無二の友だったルネ・ド・モーコンブが結婚準備で修道院を出たことがきっかけとなり、ルイーズ・ド・ショーリューは寂しさのあまり健康を害してしまう。だが、かえって、それが幸いして、ルイーズは、修道院を脱出することになる。

「伯母さまはわたしが胸を悪くして死ぬのはいやだというので、ママを説き伏せてくださいました。ママは新参尼になりさえすれば病気なんかなおってしまうと、口癖のように申しておりましたけれど。あなたがお出になってから、わたしがひどく憂鬱になったので、かえって思ったより早く、うまく片がつきました。わたしはいまパリにいます。そして、ここにいられるのは、ひとえにあなたのおかげだと思っています。ねえ、ルネさん、あなたと別れて、ひとりぼっちになった日のわたしをごらんになったら、あなたはひとりの娘の心に、これほど深い感情を植えつけたことを、誇らしくお思いになったことでしょう」

ふたりは、修道院でいつも一緒だった。そして、ふたりして夢を見ていたのだ。修道院を出たら、どんな人生が自分たちを待っているのか、どんな素晴らしい王子様があらわれるのか、そのことばかりを話しあいながら。

「わたしたちの夢を追う心には際限がありませんでした。想像力のおかげで、わたしたちはこうした王国の鍵を手に入れました。わたしたちはかわりばんこに、お互いのかわいらしい馬体鷲頭《イッポグリッフ》の怪物になったことね。目のさめたほうが眠ったほうを起こし、わたしたちの心は見てはならないと言われた世界のものを、われ勝ちに手に入れて、喜び合いました。わたしたちにとっては、『聖者列伝』さえも、一番秘密なものをわからせてくれる手引きになったではありませんか！」

いまや修道院の寄宿舎を出たルイーズ・ド・ショーリューとルネ・ド・モーコンブは、

修道院の寄宿舎を出た二人の乙女は、手紙のやりとりをして、自分たちの抱いた夢が現実のものになるか否かを逐一報告しあう。

こうした修道院時代に語りあった乙女の夢想が、はたして現実のものになるのかどうか、それを逐一、手紙で報告しあおうとしているのだ。そして、お互いの人生に対するこの興味が、いいかえれば、分岐したふたりの人生への読者の好奇心が、『二人の若妻の手記』という小説を前へ進ませる力となっている。

やがて、ストーリーが展開するにつれ、ルイーズ・ド・ショーリューは、想像していた以上に輝かしい社交生活の中に入ってゆく。いっぽう、ルネ・ド・モーコンブは、想像していたのとは裏腹の単調な田舎暮しを送ることを強いられ、もっぱら、ルイーズ・ド・ショーリューの社交界報告の受け手としての役割に甘んじることになる。

だが、最後には……。

いや、いま結末を語ってしまうのはやめにしておこう。それよりも、ふたりがロマンチックな夢想を育む温床となった修道院の寄宿学校というものについて、ここでいささかの解説を加えておくことにしよう。

第2章　修道院の寄宿学校

　クロード・シャブロル監督、イザベル・ユペール主演の『ボヴァリー夫人』を見た。最初、ユペールのボヴァリー夫人はミス・キャストではないかと思ったが、ストーリーが展開するにつれ、「断固たる意志」に基づいて夫を裏切り、愛人を追いかけていくエンマの「積極的で男性的な」側面を、ユペールが終始固めの表情によって演じているのを見ているうちに、これはこれでフェミニスト的なボヴァリー夫人の解釈として悪くないなと考えるようになった。

　ただ、原作との比較で見ると、後半の劇的展開に力を入れるあまり、前半部分を描き込んでおかなかったのがいかにも惜しまれる。というのも、映画では、エンマが育てられた

環境、とりわけ、修道院の寄宿学校での生活が省略されているため、エンマがなぜシャルルに不満を感じるのかがあまり伝わってこないからだ。映画しか見ないと、エンマがシャルルに愛情をいだけないのは、それこそいまふうに「フィーリングがあわないから」というだけで片付けられてしまいそうだが、修道院の寄宿学校の描写があれば、じつは、夫がシャルルのような凡庸な男ではなくとも、エンマは同じように行動しただろうと想像がつくはずだ。なぜなら、エンマは自分の紋切り型の夢想の投影によって現実を裁断する性格をここで身につけてしまったからなのである。

修道院の寄宿学校、このファクターは、十九世紀フランス文学において想像している以上に大きな役割を果たしているのである。

エンマは十三歳のときに父親に連れられてルーアンの修道院の寄宿学校に入ったことになっている。十九世紀の前半には、娘をこうした修道院の寄宿学校に入れる習慣は、貴族からブルジョワジーや富裕な農民にまでひろがっていた。下層階級の子女は相変わらずいっさいの教育を受けず、小さな大人として幼いころから労働に従事していたが、ルオー爺さんのような裕福な自作農の家では、持参金の一部として、娘に教育をつけさせる者も出てきていたのである。この傾向は、大革命で衰えたカトリックの力が盛り返していた王政復古の時代にはとりわけ強くなっていた。

もっとも、女子修道院の寄宿学校での教育は、現在のような知育を中心としたものではなく、あくまで、思春期の娘たちを敬虔で厳かな雰囲気に浸らせて宗教感情を育てることが目的とされていた。それは、女子修道院の寄宿学校というものが、宗教戦争の嵐が吹き荒れた十六世紀に、プロテスタント勢力に対抗する反宗教改革の一環として、設立されたことと関係がある。すなわち、カルメル会やベネディクト会などのカトリック系の女子修道院は、俗人の子女を預かり、これに宗教教育を施すことを目的としていたのである。

そのため、女子教育といっても、読み書きは教理問答が理解できる程度、計算は結婚して家計簿がつけられる程度の基礎的なレベルにかぎられ、一日の日課のほとんどは、修道女と同じように、宗教感情を涵養するための厳しい聖務に当てられていた。

ユゴーの『レ・ミゼラブル』には、ジャン・ヴァルジャンが幼いコゼットを連れて逃げこんだベルナール・ベネディクト修道院の詳しい描写があるが、ここではその寄宿学校についての部分だけを引用しておこう。

「この物語が起こったころには、修道院には寄宿舎があった。大概金持の貴族の若い娘たちの寄宿舎で、中には、サント＝トレール嬢やベリサン嬢や、タルボーというカトリックで有名な名前を持っているイギリスの娘などがいた。これらの若い娘たちは、壁に囲まれて、修道女に育てられ、俗世間と時勢を恐れながら大きくなっていった。そのうちのひとりが、ある日私に言った。《町の敷居を見ますと、頭から爪先までふるえたものですの》。彼女たちは青い服を着て、白い帽子をかぶり、鍍金の銀か銅の聖体メダルを胸につけていた。大祭典の日には、特に聖マルタンの日には、深い恩恵と最上の幸福として、修道女の服を着て、一日じゅう聖ベネディクトのミサとお勤めをすることが許された。(……)こうしたお芝居は、修道院の中での布教精神によって、ひそかに許され、奨励されたもので、少女たちに聖衣にたいする好みを前もって与えるためだったが、寄宿生にとっては、それが本当に幸福であり、実際気晴らしにもなっていた、ということは注意すべきことである」

すなわち、大蠟燭のともった荘厳な教会堂で、独特の修道女の衣装に身をくるみ、荘重な聖歌を歌いながら、お勤めをするということさえもが、まだ年端もいかない寄宿生にとっては、なにかわくわくするような儀式に加わっているというような感じで、ある種の気晴らし、喜びになっていたのである。

したがって、『ボヴァリー夫人』のエンマのような夢想家的な性質をもった少女は、家庭から切り放された悲しみよりも、地上に設けられた天界のような修道院の雰囲気を愛する気持ちのほうが強くなることもあったようだ。

「はじめのうち、エンマは女子修道院で退屈するどころではなかった。(……)銅の十字

寄宿生にとっては修道女の服を着て祈りを捧げること自体が気晴らしだった。神秘なけだるさに酔い甘美な夢想に我を忘れた。

架のついた数珠をつまぐる白皙の聖女たちのあいだに日を送るうち、いつしかエンマは、祭壇の薫香からも、ひんやりとした聖水盤からも大蠟燭の光明からも目に見えず発散する神秘なけだるさに酔い、とろとろと現を忘れた。ミサに出る間も惜しんで、本の挿絵の藍色に縁どられた宗教画に見入っては、病める牝羊や、鋭い矢に射貫かれた主の心臓や、十字架を背負って歩かれる道々しばしば倒れたもうたおいたわしいエスさまを愛した」

しかしながら、エンマが愛したのは、じつは神の子としてのイエスではなかった。目的のない漠とした憧れがたまたま、宗教画に対象を見いだしたにすぎないのだ。エンマは聖書や宗教書の朗読を、ロマンチックな物語のようにして聞いていた。

だから、やがて修道院に通ってくる手伝いの老婆がひそかに持ち込んでくる本物のロマンチックな小説に親しむようになると、その夢想家的な傾向は歯止めを失うことになる。

「小説の中身はといえばおきまりの恋愛沙汰、恋する男に恋する女、さびしい離れ家で昏倒する虐げられた貴婦人、宿場宿場できまって殺される御者、各ページごとに乗りつぶされる馬、昼なお暗き森、波立ち騒ぐ胸、すすり泣き、涙、口づけ、月下の小舟、茂みに歌う夜鳴き鳥、そして《殿方》は雄々しいこと獅子のごとく、やさしい心根は子羊さながら、徳は万人にぬきんで、つねに美々しいいでたちで、泣くとなったらもう手放しで泣くのだった」

ようするに、修道院という隔離された環境のなかで、現代の少女マンガやハーレクイン・ロマンスのような紋切り型の美男美女がワン・パターンのロマンチックな恋をする小説を読んでいるうちに、エンマは自分が中世の古城の窓辺にたたずむ女城主のような気持ちになって、「野の果てから、白い羽根飾りを兜につけた騎士が黒馬を駆ってやってくる」のを待っているようになってしまったのである。

こうしたロマンチックな夢想の虜になっていたのは、エンマだけではなかった。修道院の寄宿生なら、多少なりともみんな想像力によって生みだされたこの種の幻想にむしばまれていたのである。ユゴーは『レ・ミゼラブル』の中で、愛人のジュリエット・ドゥルーエから聞いた話をもとにしてこんなエピソードを書いている。

「修道院には外部の騒音は何も入ってこなかった。だが或る年、フリュートの音が聞こえてきたことがあった。それは大事件だった。当時の寄宿生は、いまでもそれを覚えている。それは近所でだれかが吹いたのであって、いつも同じ曲であり、今日ではもう古くさい《わたしのゼチュルベよ、ここに来てわたしの魂を支配してくれ》という曲であった。それが日に二、三度聞こえるのであった。

少女たちは、何時間もうっとりと聞いていたので、声の母（シスターのこと）たちはおろおろし、頭を悩まし、むやみと罰をくだした。そんなことが数カ月もつづいた。寄宿生たちは、みんな多かれ少なかれ、その見知らぬ音楽家を恋していた。めいめいが自分をゼチュルベだと思っていた。フリュートの音はドロワ・ミュール通りの方から聞こえてきた。

笛をあんなに気持ちよく吹き、自分でも知らずに、少女たちみんなの魂を同時に吹き鳴らしているその《青年》の姿を、たとえ一瞬でもながめることができ、かすかでも見ることができるならば、彼女たちはすべてを投げ出し、どんな危険でも冒し、どんなことでもしでかしたことであろう。中には裏門から抜け出し、ドロワ・ミュール通りに面した四階にのぼり、そこの格子窓からながめようとした娘もいた。だが駄目だった。そのうちのひとりは、頭の上に手をあげて格子から手を差出し、白いハンカチを振った。ほかのふたりはもっと大胆だった。彼女たちは、屋根の上までのぼることを思いついて、それをやってのけ、とうとう《青年》を見ることに成功した。それは、盲の、おちぶれた亡命貴族の老人で、屋根裏部屋で、退屈しのぎにフリュートを吹いていたのである」

ユゴーは、あまりに男性から切り離された修道院の寄宿学校という環境が、かえって男性に対する憧れをかき立てるため、寄宿生は、俗世間に出たとたん、最初に出会った男を夢の中の王子様と錯覚する恐れがあると警告しているのである。

だから、『ボヴァリー夫人』では、シャルルが目の前にあらわれたとき、エンマは半信半疑ながらも、もしかすると彼が「黒馬の騎士」なのかもしれないと思った。ところがいざ結婚してみると、シャルルは小説の中の殿方のような魅力が少しもない凡庸な男だったのである。

「シャルルの口から出る話といえば、歩道のように平々凡々、そこを世間の相場どおりの思想が、平服のまま一列縦隊で進んでゆくだけだから、感動も笑いも夢もありはしない。ルーアンに暮らしていたあいだ、パリから来た俳優を見に芝居へ行こうなどという酔狂は思いもよらなかった、と彼はいう。水泳も知らず、フェンシングもできず、ピストルも撃てない。ある日などは、エンマが小説のなかに出てくる馬術用語をきいたが、答えられなかった」

こうした夢と現実の乖離は結婚した女性ならだれしも少しぐらいは感じるところだろう。つまり、ある意味で、女はすべてエンマであり、男はすべてシャルルなのである。だが、エンマは、小説から得た理想の男性のイメージによってあまりにも強く思考を縛られ過ぎているので、自分のケースを特殊なものと考えてしまう。

「男とはそんな者ではないはずだ。知らぬことtとてなく、競技百般に通じ、わきたぎる情熱の世界にも、洗練された生活の楽しみにも、あらゆる秘密への手引きをしてくれるべきものではなかろうか」

とはいえ、エンマもこうした小説の中のような人物に実際に出会わなければ、その理想のイメージもやがては擦り減っていったかもしれない。だが、困ったことに、招待されたヴォヴィエサールの舞踏会でエンマは現実にこうした男が存在しているのだという確信をいだいてしまったのである。

第3章　彼女はパリの地図を買った

ヴォヴィエサールの舞踏会は、映画でもかなり念を入れて描かれている。たとえば、エンマが、舞踏会でイタリアの地名やイギリスの競馬の話を耳にして、自分の夢想しているような生活が実際にあるのだと気付いたり、貴婦人がわざと扇子を落として、男の帽子に付け文を入れるところを目撃してハッとする部分は原作に忠実である。また、エンマが「子爵」と呼ばれるワルツの名手と踊って陶然となるところもそっくり再現されている。

だが、映画では、原作にある一つの重要なエピソードが省略されている。

原作では、エンマとシャルルはその晩はヴォヴィエサールの館に泊まり、翌朝出発するが、途中で馬に乗った幾人かの男と擦れちがう。エンマはその中に子爵を認めたように思

う。そのとき、シャルルが地面になにか落ちているのに気付く。それは「緑色の絹で周囲を縁どり、豪華な自家用馬車の扉のように真ん中に紋章を縫い取った葉巻入れだった」。

　次の日から、あの舞踏会のことを思い出すことがエンマの日課のひとつになる。そして、そのとき大きな役割を演じるのがこの葉巻入れである。エンマは葉巻入れを取り出しては、たばこと香水のまじりあった匂いをかぎながら、「ああ、いまから一週間前には……二週間前には」と追憶に時間を費やし、パリの華やかな生活に思いをはせる。毎朝目をさますと、今日こそはなにか事件が起きるのではないかと期待する。だが日暮れとともに味気無さはいよいよつのる。エンマは翌年もヴォヴィエサールに招待されるのではないかと期待していたが、ついに招待状はこなかった。そして、あるのは、ロマンチックなことを何ひとつ解さない退屈な夫とのかわりばえしない日常だけだった。

　そんなエンマにとって、唯一の楽しみとなったのは、パリの地図を買って、指先で地図をなぞりながら、空想の中で街から街へとパリを歩きまわることだった。

「エンマはパリの地図を買った。指先で地図の上をたどりながら、パリの町じゅうを駆けめぐった。ブールヴァールをのぼって行っては、街角ごとに足をとめ、通りの線と線のあいだでも、また家をあらわす白い四角の前でも任意にたらどまった。ついには目が疲れると瞼を閉じた。すると風にゆらめくガス灯の炎や、劇場正面の列柱の前に、がらがらと降ろされる馬車の踏み段などが、闇のなかに見えた」

パリを大きな土産物屋としてしか考えていない現代の日本の女性と比べて、エンマはなんといじらしいのだろうか。第一、パリに恋い焦がれたエンマが最初に買ったものがパリの地図だったというのが泣かせるではないか。

じつは、なにを隠そうこの私も、大学出の初任給が四万円で、一フランが七十円（いまは二十五円）だったころ、行くあてもないのにパリの地図を買って、エンマと同じように「指先で地図の上をたどりながら、パリの町じゅうを駆けめぐった」ことがある。

いや、一昔前までは、平均的日本人にとってはパリに行くなどということは夢のまた夢で、よもやパリまで十万円で行って帰ってこれる時代がこようなどとは思わなかったのだから、パリに憧れる日本人はだれだってこうしていたのである。そして、次のようなエンマの気持ちはまさに我々のそれだった。

「パリとはどんなところなのか？　なんとすばらしい大きな名だろう！　パリ！　彼女はその名を繰りかえしささやいては楽しんだ。それは大聖堂の釣鐘のように彼女の耳に鳴りひびき、ポマードの瓶のレッテルに文字となって書かれても、彼女の目に松明のようにかがやくのだった」

パリから百数十キロしかはなれていないノルマンジーでも、鉄道が敷設されていない十九世紀の前半には、パリは今日の日本から見るよりもはるかに遠いところだったから、パリで華やかな生活を送ることを熱烈に望みながら、その憧れがまったく実現不可能な片田舎に暮らすボヴァリー夫人のような人妻にとっては、この「距離」を縮めてくれるものとてはパリのアウラを発する商品を買うしかなかったのである。パリがまだ絶対的に到達できない「夢の国」の代名詞だった時代には、「パリを味わう」唯一の方法は、パリを連想させてくれる「商品」、たとえば、パリという文字が刷り込まれているポマードを買うことは、パリと自分を隔てている「距離」を一瞬のうちに縮めることを意味していた。

エンマにとっては「買い物」こそが、唯一、自分の存在を確かめ、自分とパリを結びつけてくれる手段にほかならなかったのである。のちに、エンマが出入り商人のルールーの勧めるままに、次々に身分不相応な高級品を付け買いして、借金で首が回らなくなり、ついに自殺へと追い込まれたのも、もとはといえば、商品を「買う」ことで、パリを自分のものにしたいという願望が働いていたからなのである。

だが、たとえ、パリの名前の入った商品を手に入れたとしても、またパリの地図を広げたにしても、パリの幻影は、蜃気楼のように、はるか彼方に輝いたかと思うと、次の瞬間にはふっとかき消えてしまう。幻影が長続きするには、パリのことをたえず語ってイメージを鮮やかにしてくれるなにかしらの具体的イメージが必要だった。

「エンマは《コルベーユ（花籠）》という女性新聞や、《サロンの妖精》をとった。芝居の初演や競馬や夜会の記事は、すみからすみまで読みあさり、女歌手の初舞台や商店の店開きなどにも関心をもった。最新のモードや、一流洋装店の所番地や、ブローニュの森やオペラ座のにぎわう日取りにも通暁した」

この一節は、いまここにないものにひたすら憧れるボヴァリスムというものが、かなりの部分をモード・ジャーナリズムの発展に負うていることを教えてくれる。エンマは、パリに対する夢想の糧を、もっぱらパリ情報を満載したモード新聞から得ていたからである。

こうしたことが可能になった背景には、『ボヴァリー夫人』の設定されている一八四〇年前後に、エミール・ド・ジラルダンの新聞革命で購読料が低下し、エンマのような平凡なブルジョワの主婦でもモード新聞のひとつやふたつ購読できるようになった状況の変化がある。十五年前には貴族の奥方のためにただ一紙だけきわめて高額な購読料で発行されていたモード新聞は、このころには十紙を数え、様々な工夫をこらして読者の開拓に力を入れていた。それは、すでにモード新聞というよりも、モード雑誌に近い豪華な体裁のものになっていたが、購読料は低く押さえられていたので、パリから遠く離れた僻地に住む主婦でも「オペラ座のにぎわう日取りにも通暁」できるようになっていたのである。

もっとも、だからといって、地方の家庭の主婦が気軽にパリに遊びに行けるような状況が出現したわけではないので、いきおいフラストレーションは強烈なものにならざるをえなかったが、そのフラストレーションは逆にモード新聞に対する要求をエスカレートさせたから、モード新聞はますます豪華に、内容豊富になっていったのである。このあたりの事情は今日の日本でもそれほどは変わっていない。

談笑するふたりの乙女と見えるが、実は当時のファッション・プレートの定番ポーズで、同じ服の前後ろを仕立て屋に見せるための工夫。

朝起きて入浴をすませてから、化粧着を羽織ってカフェ・クレームを一杯。まだコルセットはつけていないからハイ・ウェストである。

同じく朝の軽装だが、これは左ふうに着こなせば外出着、右のように着ればラフな部屋着になるということか。エプロンが可愛らしい。

ガヴァルニの絵の特徴はモデルが少女っぽいこと。だからメード風の部屋着がモダンに見える。ヘアキャップさえアヴァンギャルドだ。

身繕いを終えるとシンプルな服に着替える。白のチュールなので夏服だろう。ストライプは流行の英国風。帽子を被れば外出もできる。

同じ昼服ながらこちらはドレス・アップしたモスリンの外出着。肩を隠せばチュイルリ公園にふさわしく。デコルテにすれば夜も可。

肩の露出が控えめな昼服だが、公式な席に出向くときの絹のドレス。
羽つきベレー、長い手袋、手にハンカチと扇子の付属品でわかる。

説明にウィーン・モードとある。縁なし帽(ボネ)は今日では産着にしか残っていないが、当時はカジュアルの必須アイテムだった。

ヴァカンス誕生以前にも、富裕階級は田舎の別荘でスポーツを楽しんだ。胴衣にナポリ畝織りのスカートというカジュアルな装い。

モスリンのルダンゴット（ロングコート）にペルリーヌ（ケープ）という親子おそろいの衣装でチュイルリ公園に輪回しに出掛けるのか。

珍しや、子供ファッションだが、よく見ると、すべて大人ファッションの縮小モデルであることがわかる。下ばきが可愛らしい。

雨傘をさしたロンドン・ファッション。薄織綿布の真っ白いドレスに、帽子の房とブロドゥカン（編み上げ靴）の黒が印象的。

最新の冬物を紹介するプレート。ショール全盛の時代なので、中近東風の薄絹の表地にサテンの裏地のついた大ぶりのマントは珍しい。

「ラ・モード」にはこうしたカップルのプレートがよくある。昼用とあるから、連れ立って町中を歩くためのファッションか。

この年(1830-31)は寒かったのか散策用のファッションも重装備である。冬でも散策は貴族の日課には欠かせない習慣だった。

ブロドゥカンがかなり丈夫そうなので盛り場を歩くためのファッションか。黒貂のマフとインド木綿のブルーのドレスがマッチしている。

ところで、この当時、モード新聞のデラックス化競争は、もっぱらファッション・プレートを巡って行われていた。モード新聞のファッション・プレートというのは、十八世紀の末、モード新聞が付録としてモード画を添えたのをきっかけに広まったもので、写真のなかった時代にはモードを視覚的に伝えるための唯一の手段としてたいへん重視されていた。たいていは、モード画家が水彩で描いたファッション画を鋼版画で起こしたものだが、なにしろ一枚一枚が丁寧に手で彩色してあるから、その芸術的価値は、印刷のファッション画などとは比べものにならないぐらい高く、今日では、熱烈なコレクションや投機の対象にさえなっている。

なかでも、大革命の総裁政府の時代に、以前神父をしていたという変わり種ピエール・ラ・メザンジェールが編集していたモード新聞の元祖『ジュルナル・デ・ダーム・エ・デ・モード』のファッション・プレートは、ランテという当代一流のモード画家が担当していたので、その質は群を抜いていた。ランテのファッション・プレートは荒俣宏氏が指摘するように「私たちが十九世紀のファッション画に期待するすべての要素——つまり、愛らしさ、しとやかさ、美しさ、そして生活風俗のとらえ方などをそなえている」(『漫画と人生』)ので、いくら見ていても見あきることがない。当時はまだ、既製服もイージー・オーダーも存在していなかったから、地方の女性は、モードの情報としてはこの新聞のファッション・プレートだけが唯一の頼りで、生地屋と仕立屋を自宅に呼んで、ファッション・プレートに似せたドレスを作らせていたのである。

しかし、やがて『ジュルナル・デ・ダーム・エ・デ・モード』の一元支配も崩れるときがやってくる。一八二九年に、ジャーナリズムの革命児エミール・ド・ジラルダンが創刊した『ラ・モード』がラ・メザンジェールの牙城を崩したのである。

『ラ・モード』は、ファッションを教えるのではなく、着こなしとセンスの良さを教えることを売り物にした新しいコンセプトのモード新聞だった。すなわち、本当にお洒落な人間というのは、規範によりつつ、自分のオリジナリティーを発揮してその規範から逸脱することを心がけるものだが、地方ではこのオリジナリティーに接することはできない。そこで、紙上を通して、この逸脱の微妙なノウ・ハウを地方の読者にお教えしようというのである。ひとことでいえば、『ラ・モード』は、こうした新しいコンセプトを打ちだすことで、何のコメントもなくただモードを紹介するだけの『ジュルナル・デ・ダーム・エ・デ・モード』から地方の読者を奪おうと考えたのである。

ところが、いざ蓋をあけてみると、地方の読者は、保守的性格のせいか、むしろランテのファッション・プレートの入った『ジュルナル・デ・ダーム・エ・デ・モード』に忠実だった。そのかわり、知的レベルの高い女性にターゲットを設定していた『ラ・モード』は、高級な文学読物や洗練されたファッション記事などの魅力によってこれまでとは違う読者を開拓してしまった。ほかならぬモードの作り手であるパリのお洒落な社交人士が

『ラ・モード』の熱烈な読者となったのである。

弾みのついた『ラ・モード』はバルザック、サンド、ウージェーヌ・シューなどの新しい才能を次々に登場させて、モードとは関係のない高級な記事で逆にモードの格上げを図るという戦略を採用し、さらに読者層を拡大していったが、いっぽうでは天才モード画家ガヴァルニを抜擢してファッション・プレートの充実を図ることも忘れなかった。

ガヴァルニは一八三〇年の五月から登場したが、そのファッション・プレートは、モデルの女性のかわいらしさといい、透明感あふれる手彩色の鮮やかさといい、デザインの大胆さといい、これ以上は望みえない最高のモード画に仕上がっていた。ガヴァルニの描く仮装舞踏会の服装を眺めていた女性は、ボヴァリー夫人ならずとも、一度でいいから自分もこんな服を着てオペラ座の夜会に行ってみたいと思ったことだろう。私の知るかぎり、古今東西を通じてガヴァルニに対抗できるファッション・イラストレーターはわずかにアール・デコのジョルジュ・バルビエがいるくらいである。

『ラ・モード』はその後、ジラルダンの手を離れ、正統王朝派のもとで発行が続けられたが、ガヴァルニが去ったあとでは、もはや以前のような輝きは望みようもなかった。

かわってモード新聞のニュー・フェイスとして登場したのが、のちに『フィガロ』を創刊するジャーナリスト、ヴィルメサンが手掛けた『シルフィード（空気の妖精）』である。

この新聞のタイトルは、オペラ座の名バレリーナ、タリョーニのバレエからとったものだが、その特徴はブルーの表紙にあった。というのも、この表紙、うわ薬を塗って光らしてあるばかりか、各号にことなった香水が染み込ませてあって、視覚的にも嗅覚的にも楽しめるように工夫されていたからである。この香水の調合を請け負ったのはピエール・フランソワ＝パスカル・ゲルランという調香師だった。もちろん、のちに『ミツコ』『夜間飛行』を生みだす香水ブランド、ゲランの創始者である。

このように、ボヴァリー夫人がモード新聞の予約購読を申し込んだころにはすでに、モード・ジャーナリズムは、豪華なファッション・プレートと最新モード情報、有名作家による高級読物、オペラや音楽会のレポート、社交界や演劇界の噂、流行の商品を売るブティックの所番地、売れ筋の商品の案内など、今日のモード雑誌のアイテムをすべて取りそろえていたが、それらはすべて、パリという大いなる幻影によって支えられている面が強かった。

というよりも、モード・ジャーナリズムはパリの幻影が肥大すればするほど発展し、パリの幻影もモード・ジャーナリズムが発展すれば、その分ますます拡大するというダブル・バインドの関係が生まれていたからである。

ボヴァリー夫人などはまさにこのダブル・バインドに挟まれて破滅したといえなくはない。だが、このダブル・バインドの締めあげはじつに甘美だったので、この苦痛を逃れたいと思うものはだれもいなかったのである。

第4章　修道院から社交界へ

　ボヴァリー夫人は、夫シャルルの凡庸さに失望して、なにか別の巡りあわせで別の男性と結婚することだってありえたのではないかと夢想する。もしかすると、その夫は美男子で、才気にあふれた上流階級の男性だったかもしれないのだ。そして、考えは自然と、修道院の同級生はきっと素敵な相手と結婚したにちがいないという確信にいきつく。
「そういえばお友だちはみんないまごろどうしているだろう？　きっと、都会に住んで、街路の騒音、劇場のざわめき、舞踏会のまばゆい光につつまれて、心は浮きたち、感覚は花開くような生活を送っているにちがいない。それにひきかえ、私は、この私の生活は天窓が北を向いた屋根裏部屋のように冷たい。蜘蛛のように黙々と、倦怠が心の四すみの闇のなかに巣を張っている。エンマは賞品授与式の日を思い出した。こまごましたご褒美の品々をもらいに壇の上にのぼって行ったっけ。髪を編んでお下げにして、白いドレスの裾をかかげて、黒い毛織の靴をのぞかせた様子は、さぞかしかわいかったのだろう、席へもどって来ると、男の先生方が自分のほうへ身をかがめて、おめでとうと言ってくださった。前庭はいっぱいの四輪馬車で、みんなが車の扉から別れの言葉をかけてくれた。音楽の先生がヴァイオリンのケースを提げて、通りすがりに挨拶をしてくださった。なんと遠い昔のことだ！　それもこれも今では遠い昔のことになってしまった」

できるなら、エンマは友だちに直接会うか、さもなければ手紙の交換でもしたかったところだろう。友だちがどんな男性と結婚し、どんな社交生活を送っているか切実に知りたいと思ったにちがいない。だが、片田舎に暮らすエンマには、そんな友だちの消息は届くはずはなかった。そこで、彼女はしかたなく、当時の有力な情報源のひとつであった小説を手に取った。

「ウージェーヌ・シューの小説では家具類の描写に心をとめ、バルザックやジョルジュ・サンドを読んでは、そこに彼女自身の渇望をいやす空想の糧を求めた」

エンマのことだから、小説はおそらく最新刊のものを読んだのだろう。とすると、この小説の設定年代からして、シューなら『さまよえるユダヤ人』、サンドなら『ファンシェット』か『ルドルシュタット伯爵夫人』あたりか。

　では、バルザックは？　これは、まずまちがいなく『二人の若妻の手記』だと思われる。なぜならば、この『二人の若妻の手記』こそは、エンマのような環境に置かれた人妻のために書かれた十九世紀版「ＢＣＢＧ《ベーセー・ベージェー》講座」だったからである。

　さて、ここでようやく我々は、『ボヴァリー夫人』を離れて、『二人の若妻の手記』の物語の中に戻ることができる。もう一度、ここで、ストーリーの発端を確認しておこう。

　大貴族の娘ルイーズ・ド・ショーリューは、家庭の都合で、ブロワのカルメル会修道院の寄宿学校に送られ、そこで修道女として一生を過ごす予定になっていたが、親友のルネ・ド・モーコンブが、お見合いのため一足先に寄宿学校を出てしまったため、寂しさのあまりノイローゼにかかり、体をこわしてしまう。

　ところが、これが幸いして、あわや修道女として一生幽閉されるはずだった修道院を出ることができたのである。

　ルイーズが修道院から出る日、ド・ショーリュー家の家紋をつけた豪華な馬車に乗った従僕と付き添い女中がパリからブロワまで出迎えにくる。

「さて、ルネさん、ある朝のことでした。この日はわたしの生涯のうち、バラ色のしおりで記念すべき日ですわ。パリから付き添い女中と、お祖母さまの一番最後の従僕のフィリップとが、わたしを連れ戻しに来てくれました。伯母さまがわたしをお部屋へ呼んで、このお話を聞かせてくださったときは、うれしくってうれしくって、もう声が出ませんでした。わたしはぼうっとしたまま、伯母さまを眺めておりました。（……）わたしは伯母さまを抱きしめました。お気の毒な伯母さまは、とうとう馬車のところまでわたしを送ってくださいました。そして、ご先祖さまの紋章とわたしとを、かわりばんこにじっと眺めておいででした」

大貴族は、旅行は、乗合馬車や郵便馬車ではなく、自家用の旅行用馬車を利用する。ド・ショーリュー家は、王家に次ぐ高貴な家柄なので、ブロワにいる娘の出迎えには、この旅行用馬車が使われているのである。

ただ、今日的な常識からすると、ひとり娘の出迎えに、父親はおろか母親も来ていないのが奇妙である。この驚きは、ルイーズがパリに着いた次の描写を読むとさらに倍加する。

「最初、着いたときには、だれも出迎えに来てくれませんでした。ママはブローニュの森へ、パパは参事院へお出かけになっていました」

あっさり語られているが、よく考えれば、この状況はかなり異常である。というのも、九歳のときに修道院に入った娘が十六歳になってそこから戻ってきたというのに、父親も母親も迎えにきてやらないのだから。政府の要職にある父親はまあしかたないにしても、母親は馬車でブローニュの森へ「散策」に行っているのである。娘よりも散策が大事なのか！　じつは、いずれ話すように、上流階級の貴婦人にとって、これは欠かすことのできない日課だったから、当然、娘よりも大事なのである。いずれにしろ、修道院から勝手に帰ってきてしまったこの娘は、この段階では、大貴族の両親にとってほとんどなんの関心の対象にもなっていない。とりわけ、母親は、娘が修道院にいた八年間に一度も会いに来ず、しかも手紙も二度しかよこさなかったというぐらいだから、きっと、「あの子を生んだのはたしかにわたしだけれど、わたしが育てる必要がどこにあるの」と放言したどこかの日本の女優と同じような考えをもっていたのだろう。

実際、これは十九世紀前半までの上流階級の平均的習慣だった。というのも、上流階級の人間たちは、現代のワーキング・ウーマンが仕事に費やしている以上の時間を社交に費やしていたから、忙しくて子育てなどやっている暇はなかったのである。もちろん、母親は、乳母を雇って、自分では決して乳を与えず、子育てはすべて養育係のばあやに任せ、長じてはイギリス人の家庭教師をつけてやるか、さもなければ、修道院の寄宿学校に送ってしまう。ようするに、十六、七になって、一人前の女として付きあえるようになるまでは、母親と娘の関係はないに等しかったのである。だから、修道院から帰ってきた娘にとっては、美しい母親は、逆に、憧れの対象として映る。

「三十八にもなったというのに、ママは天使のように美しいのです。ママの眼は蒼味がかった黒で、絹糸のようなまつげ、しわ一つないひたい、お白粉を塗ったとしか思えない白いバラ色の肌、あなたとそっくりな、幾分反り身の、ほっそりとしたからだつき、世にもまれな美しい手、それは牛乳のように真っ白です。（……）ママの美しさにわたしは征服されてしまったのです」

長い間、飾り気のない修道女しか見たことのなかった少女にとって、社交界の女王である母親は、女神のように照り輝いて見えたにちがいない。完全にほうっておかれたことも忘れ、ルイーズは、自分の感動を率直に口に出す。

「娘の口から愛の言葉が洩れるなどとは、おそらくママも予想していなかったのでしょう。真心のこもったわたしの讃嘆は、ママを深く感動させたようでした。ママの態度がかわりました。そしてまえよりももっと優しくなりました。ママはわたしを《あなた》で呼ぶのを止めました。《お前はほんとにいい子ね、わたしたちはきっといいお友だちになれるでしょう》」

たしかに一風変わっているとはいえ、これもまた母と娘の出会いと和解には変わりない。そして、母親は、娘に対し、これからは自分がパリ社交界の案内役となってやろうと約束する。

では、娘と父親との出会いはどうなったのだろう。

「《とうとう帰って来たね、わがまま勝手なお嬢さん！》とパパはわたしの両手を自分の手に握りしめ、父親というよりはむしろダンディーがするようにキスして、言うのでした」

ルイーズにとって、母親がひとりの女と映ったように、父親もひとりの男と見えたのである。

「パパは五十だというのに、いまだに魅力を失いません。若々しいからだつき、しゃんとした姿勢、髪の毛はブロンドで、物腰にも愛嬌にも気品があるのです。外交官特有の、話しかけるような、それでいて黙りこくった顔、鼻は細くて長く、眼は鳶色です」

まったく、これでは少女マンガの世界ではないか。パリの社交界でも一番美しい母と渋いダンディーの父。しかも、ふたりとも貴族で、大金持ちで、娘には、友だちのように接する。

だが、やはりバルザックの世界は少女マンガの世界ではない。なぜなら、この完璧な夫婦は「決して一緒に暮らそうとはせず、共通なものはただ名前だけで、しかも世間には仲良くしているようにみせかけている」にすぎないからだ。ではなぜ、こんなことになるのか。この疑問に答えるには、まず当時の上流階級の夫婦形態を知っておかなければならない。

第5章　貴族の結婚

十九世紀の前半には、結婚は基本的に、家と家、というよりも、金銭と金銭の結合にすぎなかった。もちろん、ひとくちに金銭といっても、このうちには有形無形の財産が換算される。たとえば、由緒ある家柄というのは、そしてそれが王家につながるような貴族であれば、換算ポイントはきわめて高い。さらに女性の場合、美貌は当然、大きなポイントである。これに、若さが加わればいうことはない。つまり、もっとも高得点をあげうる花嫁候補は、まず由緒正しい貴族の家柄で、持参金もたっぷりとあり、若く、美貌であるという条件を兼ね備えた女性だろう。不思議なことに、気立ての良さというのはほとんどポイントにならない。

だが、貴族社会といえども、この条件をすべてクリアーできる女性などそうそういるわけではない。『二人の若妻の手記』の主人公ルイーズ・ド・ショーリューなどは、亡命帰りの貴族の例にもれず、持参金の面で多少見劣りするというマイナス・ポイントはあるものの、この条件にほぼかなった数少ない例外である。当然、どんな女性でも、かならずどれかが欠けている。

たとえば、ルイーズ・ド・ショーリューの親友のルネ・ド・モーコンブは、若く美貌で、家柄も、地方貴族でまずまずだが、肝心の持参金がほとんどない。したがって、換算ポイントは低く、そのポイントに見合った相手を探すしかない。

いっぽう、『ゴリオ爺さん』のふたりの娘は、若く美貌だが、製麺業者の娘だから、家柄はまったくゼロである。だが、彼女たちは父親のゴリオのおかげで、六十万フラン（約六億円）の持参金をつけてもらったので、長女アナスタジーはレストー伯爵夫人に、次女デルフィーヌはニュッシンゲン男爵夫人に納まることができた。つまり、持参金とは、ポイント不足を補うもっとも有力な手段なのである。

しかし、バルザックの小説に出てくる若い女性の多くは、この肝心の持参金を用意することのできない家庭の娘である。そして、ドラマはそこから生まれる。すなわち、ポイントが低ければ、低いなりの相手しかいないわけだが、そこはそれ、男性のほうでもポイント制が敷かれているので、釣り合いのとれる相手は必ずみつかる。

男性の場合でも、家柄と資産が考慮の対象となるのは同じである。そして、美貌と若さもまたしかりである。だが、男性は社会での実力がポイントになる点が女性とはちがっている。

たとえば、『赤と黒』のジュリアン・ソレル。彼は、製材所の三男で、家柄も資産もないが、美貌と若さに恵まれている。おまけに、実力も抜群で、たいへんな野心家である。だからこそ、大貴族の令嬢のマチルドはジュリアンに恋してしまったのだ。こうしたジュリアンのような若者が、欠けたポイントを補おうとするドラマが、十九世紀の小説の核心をなしているのだが、そのことはひとまずおいておき、話を持参金の少なさに泣く我らがヒロインたちに戻そう。

単純なポイント制からいった場合、我らがヒロインにふさわしい相手は二種類ある。ひとつは、貴族で資産家だが、若さと美貌がない男。もうひとつは、貴族で、若さと美貌には恵まれているが、資産のない男。家柄も資産もなく、美貌も若さもない男では、ドラマが成立しないから、これは除外してよい。

『いとこベット』のユロ男爵の娘オルタンスは、父親が放蕩で資産を擦り減らしてしまったので、持参金はゼロになっている。そのため、母親のいとこの老嬢ベットが親身になって世話をしているポーランドの亡命貴族の青年シタインボックをベットから奪ってしまう。つまり、後者の選択を行ったわけだが、この選択は当然、ベットの激しい怒りを買い、ユロ家は猛烈な復讐にさらされることになる。

だが、たいていの場合、持参金のない我らがヒロインたちの相手となるのは、前者のほう、つまり、貴族で資産家だが、もう若さも美貌もない男、はっきりいえば、あとは死ぬのを待つだけの六十歳の老人だ（当時は人生五十年の時代である）。なぜ、こんな老人がこの年まで独身でいて、結婚相手を探しているのかと疑問に感じるむきもあるだろうが、この問題はあとしばらく読み続けていただければ自然にわかってくる。

いずれにしろ、我らがヒロインたちは、両親にいい含められて結婚に同意する。お前はまだ十八だ。相手は六十だから、せいぜい五、六年がまんすれば、財産も家柄もお前のものになる。いや、五、六年とはいわない。子供さえつくってしまえば、あとは他人として暮らしていいのだ。恋人をつくろうが、なにをやろうがお前の勝手だ。そういうしきたりなのだからね。

実際、十九世紀の貴族社会では、それがしきたりだったのである。恋も愛も、すべては、結婚したあとにやってくることになっていた。いったん結婚してしまえば、そして、とくに子供ができれば、よほどお互いに惹かれあうものがないかぎり、同じ屋根の下に住みながら、夫婦は、赤の他人よりも他人だった。

いや、いま同じ屋根の下といったが、厳密にいうとこれは正しくない。というのも、貴族の邸宅というのは、現在の二所帯住宅のように、コの字の真ん中にある大広間と食堂部分だけが共用で、あとは両翼の別棟でそれぞれ勝手な暮しをするような構造になっていたからである。つまり、夫婦はたまに朝食で顔をあわせることがあるぐらいで、たいていは、別々の時間割にしたがって生きていたのである。

これは、余談だが、建築史家の藤森照信氏によると、明治時代に皇太子（のちの大正天皇）が新婚生活を送るために造営された赤坂離宮は、まさに、こうした夫婦別棟の伝統的なフランス貴族の邸宅をモデルにして造られていた。そのため、新婚の皇太子夫妻は、ほとんど顔をあわせることもなく、別棟で暮らさざるをえなかったという。建築家が、フランス貴族の生活習慣を知らずに、西洋建築のモデルをそっくりそのまま真似したことから起こった悲喜劇である。そのためばかりでもあるまいが、皇太子夫妻は、すぐに赤坂離宮を離れ、以後、ここは迎賓館としてのみ使われるようになったそうである。

修道院からパリの両親のもとに戻ってきたルイーズ・ド・ショーリューが、家庭教師のミス・グリフィスと従僕のフィリップに案内されて入ったのは、こうした別棟のアパルトマンだった。もちろん、アパルトマンといっても、この場合、寝室とサロンと身繕い用《ブドワ》の小部屋《ール》とからなる「組み部屋」のことを意味している。三階建ての邸宅であれば、こうしたアパルトマンが、両翼の別棟にそれぞれ二つか三つずつ用意されているのが普通である。

ルイーズが案内されたのは、以前、祖母が住んでいたアパルトマンである。ルイーズは自分をかわいがってくれた祖母の思い出にひたりながらアパルトマンの装飾を観察する。

「お部屋の色は白ですが、時代がついて幾分くすんでいます。面白いアラベスクの金もところどころ赤い色調を帯びています。(……)二十五歳のときに描かせたお祖母さまの肖像画は、卵形の額縁にはいっており、王さまの肖像画の正面に掛かっています。公爵の姿は影も形もありません。お祖母さまの気持ちのよい性格がはっきり出ている、こうした偽りのない、さっぱりとした忘却ぶり、それがわたしは好きなんです」(傍点鹿島)

どうやら、ルイーズの祖母も、貴族の「しきたり」に忠実だったようである。もちろん、ルイーズの母もこの「しきたり」はしっかりと守っている。

「ママは同じ棟の一階に、わたしのと同じような部屋わりのアパルトマンに住んでいるのです。わたしはちょうどママの真上にいるわけで、ふたり共通の裏階段を使っています。パパはお向いの棟に暮らしています」

このアパルトマンには裏階段が付いていることに注目していただきたい。つまり、これを使えば、このママの部屋には、愛人が堂々と出入りすることができるということである。そして、実際、この階段はこのためにこそ設けられていたのである。

上流貴族の奥方は、昼すぎに起きて、身繕いするが、たいていは、この時間に、愛人や讃美者が、階段を上ってやってきて、サロンかさもなければ身繕い用の小部屋《ブドワール》で奥方と話をすることになっていた。

ところで、この場合、奥方が相手をするのは、ほとんどが、年下の若くて美貌の(おそらくは財産のない）青年である。つまり、女性ははるかに年上の男性と結婚して、若い愛人をもち、やがて、夫が亡くなったあとはこの若い男性と結婚する。そして、次に、今度はこの女性が亡くなると、男性は財産を譲りうけて、若い女性と結婚する。さきほどの疑問に答えを出すならば、持参金のない我らがヒロインの相手となるのは、じつは、こうした循環を経たのちの男性だったのである。

それにしても、この生涯二度の結婚システム、なかなかうまくできていると思いませんか。

第6章　公爵夫人の日常生活
（その一　優雅な日課）

社交生活が《仕事》である貴族にとって、一日で一番大切なのは、当然ながら、夜、パリの各所で開かれる夜会や舞踏会に出席することである。

通例、こうした夜会や舞踏会は夜の十時ごろに開かれることになっているから、パーティーが終わって、家に戻るのは、早くて真夜中の二時、遅ければ四時、五時になってしまう。しかし、夜会や舞踏会は、働くことをしない貴族にとって、すべての牛活の前提条件なので、たとえそれが自然の摂理に反していても、この時間帯だけは変更することはできない。したがって、生活のほうをそれにあわせるほかはない。

かくして、夜と昼の逆転した社交界の生活が始まる。朝と昼間は、夜間の社交生活にそ

なえるための休息の時間である。いってみれば、その生活は夜勤の労働者に近い。

そのため、たまに、この昼夜逆転の生活に、外部から部外者が闖入したりすると、なんとも困ったことが起きる。

たとえば、カルメル会修道院からパリに戻った『二人の若妻の手記』のルイーズは、こんなふうにまごついてしまう。

「翌朝、起きてみると、お部屋の掃除ができていました。（……）やっとわたしも落ち着いたわけです。ただ一つ困るのは、カルメル会の修道院の寄宿生は、朝早くからおなかがへるということに、だれも気づかないことで、ローズはわたしに朝御飯を食べさせるのに大へんな苦労をいたしました。《お嬢さまはみなさまに晩御飯をさし上げるころお寝《やす》みになって、旦那さまがお帰りになったばかりのころにお目覚めでございます》ローズはそう申しました」

このルイーズの言葉にもあるように、社交界の人間は、就寝は朝の四時か五時、起床は午前十一時か正午というのが普通だったようである。ところで、この睡眠時間帯、じつは、かくいう私とまったく同じである。もちろん、私は社交生活を送っているわけではなく、書きものをしているうちに自然にそうなってしまったのだが、こうした生活をしていると、いつも正午近くに起きてとる食事を、朝食と呼ぶべきか昼食と呼ぶべきか困ることになる。

だが、十九世紀においてはあまり困らなかった。なぜなら、原則として食事はデジュネ

（déjeuner）とディネ（dîner）の二回だけだったからである。

デジュネは現在、フランス語では「昼食」ということになっているが、語源的には英語の《breakfast》と同じく、断食（jeuner）をやめる（dé）ということで、「朝食」を意味していた。すなわち、古くは朝食、昼食、夕食を、それぞれ déjeuner、dîner、souper と呼んでいたのだが、だんだん貴族の起きる時間帯が遅くなったので、ひとつずつ繰りさがり、déjeuner（昼食）、dîner（夕食）になり、souper は夜食に格下げされてしまったのである。

だが、そうなると、社交界の人間でない普通人がとる朝食に対する呼び名がなくなったので、急遽、petit-déjeuner という言葉が発明されたといわれている。

もっとも、それは二十世紀になってからのことで、我らがヒロインたちのいる十九世紀には、デジュネはまだ一日の最初の食事のことと理解しておくだけでよい。

いずれにしろ、お昼近くに起きた社交界人士は、ゆっくりとデジュネをすませるが、一日で夫婦が顔をあわせるのはこのときぐらいで、あとは、まったく別の時間割にしたがって勝手に行動していた。ショーリュー家では、このデジュネは十一時から十二時のあいだが普通だったようだ。

「このデジュネは、パパとママと兄とが、いくぶん打ちとけた様子で顔を合わせる唯一の時間です。召使たちもベルを鳴らさなければ入ってきません。そのほかのときには、パパも兄も申し合わせたように不在です」

ルイーズの母、つまりショーリュー公爵夫人は、このデジュネに姿をあらわす前に、念入りに身繕いをすませてくる。というのもデジュネに姿をあらわした彼女は「女神のように美しい」からだ。ルイーズは、朝、ママの部屋から聞こえてきた物音でママの様子を推測する。

「ママのお部屋から聞こえてくる物音がなんなのか、ようやくわたしにもわかるようになりました。ママはまず冷ためのお風呂に入ります。それから、冷たいカフェ・クレームを一杯、その次にお召しかえです。特別の場合のほか九時前にお目覚めになることはめったにありません」

現在、フランス人のあいだでは、朝、起きがけに風呂に入ったりシャワーを浴びるという習慣はごく当たり前のものになっているが、十九世紀においては、たとえ上流の階級にあっても、自宅で浴槽に浸かるという形の入浴は、例外中の例外に属する習慣だった。

第一、パリでは、上下水道はほとんど通っていなかったから、貴族の豪邸のように水を大量消費するところでさえも、水は水売りから買うほかはなかった。

それに、裸になって体を浴槽に浸けるということは、宗教的な観点からは異教的なタブーとされていたので、身繕いは、おもに洗面器の水に浸したタオルで体を拭うという形で行われていた。

ただ、ショーリュー公爵家のように、大革命のときにイギリスに亡命した貴族は、イギリスで入浴の習慣を身につけてきたので、パリに戻ってからは最新流行のひとつとして、さっそくこの入浴を実践したようである。もっとも、当時はまだ浴室というものは存在していなかったから、入浴は、普通、ブドワールと呼ばれる、夫人の身繕い用の小部屋に置いた浴槽を使って行われた。

なお、ルイーズのママは冷ための風呂に入っているが、これは当時、お肌をひきしめるということで上流夫人のあいだではやっていた美容法である。

ルイーズのママは入浴のあと、朝の着替えをするが、このときは、ゆったりとしたネグリジェに着替えるのが普通で、まだコルセットはつけない。もっとも、デジュネに降りてくるときには、軽装の部屋着くらいは上に羽織ってきたのだろう。

デジュネがすむと、ママは、二時ごろまでは、もう一度、念入りに身繕いをする。というのも、「二時になると、若い男の人がママを訪ねてくるからです」。そのため、「二時から四時までのあいだは、ママの姿を見ることは決してできません」

『二人の若妻の手記』には、この時間に、ママがどのような姿で、若い男と会っているのかは書いていないが、『ゴリオ爺さん』には、こうした時間に、わけも知らずにレストー伯爵夫人に面会にやってきた主人公ウージェーヌ・ド・ラスチニャックの目に、伯爵夫人の艶姿がどう映ったかが詳しく描かれている。

「ラスチニャックはにわかに振りむいて夫人の容姿を見た。白カシミア地にバラ色の結び目のある化粧着をあだっぽく着て、朝のうちのパリ女らしく、無造作に髪は束ねられ、えもいえぬ芳香があたりにただよっていた。湯浴みをすませての後にちがいなかった。柔らかみをましたかに思えるその美しさは、いっそうなまめかしく見えた。瞳が潤んでいた。若い男というのは、遠慮など知らずになにもかも見てしまうものである。(……)湯上がりの化粧着がすこしはだけて、ときおりちらちらカシミア地ごしに見えるバラ色の胸のあたりに、ラスチニャックの視線は落ちずにいられなかった。コルセットなどといった人工的な補整手段は、伯爵夫人には無用で、帯だけがそのしなやかな腰のラインを浮き立たせていた。首筋はぞくぞくとするほど色っぽく、足はスリッパに包まれてなんともかわいらしかった」

『ゴリオ爺さん』をお読みになっていないかたのためにひとことといっておくと、残念ながら、レストー伯爵夫人がこのしどけない格好で待っていたのは、ラスチニャックではなく、もうひとり待合い室にいたマクシム・ド・トラーユ伯爵だった。

「マクシムが接吻しようと夫人の手をとったとき、ウージェーヌはやっとマクシムの存在に気づき、夫人もそのときはじめてウージェーヌの姿を認めた。《あら、あなたでしたの ラスチニャックさん、よくいらっしゃいましたわね》。夫人のその言葉調子は、気のきいた連中ならどう解釈したらよいかすぐにわかるような類のものだった」

初対面の青年の前にこんな姿であらわれても、レストー伯爵夫人がいささかも恥じらったそぶりを見せていないのは、いかにも十九世紀の貴族らしいといわざるをえない。

というのも、十九世紀の前半には、羞恥心を覚えるのは相手が目上の人間である場合のことで、目下の者に対しては、極端な場合には、貴族の奥方が入浴しながら面会するということすらも、かなり平気で行われていたのである。

羞恥心というのは、それぞれの時代によってずいぶんとことなるものなのである。

第7章　公爵夫人の日常生活
（その二　チュイルリ公園の散策）

修道院からパリの社交界へと、突然、環境が変わったルイーズ・ド・ショーリューにとって、一番の驚きは、社交界の花形である母親の公爵夫人が休む暇もないほど忙しいことだった。

まず、ド・ショーリュー公爵夫人は、前章に述べたように十一時ごろ起床し、一、二時間かけて身繕いをしたあと、二時ごろまでに朝食を済ませる。

そのあとは次のようなかなりハードなスケジュールにしたがって行動する。

「ママは着替えをします。二時から四時までのあいだは、ママの姿を見ることは決してできません。四時になると、一時間の散歩にお出かけです。外で食事をなさらないときは、六時から七時までが面会時間です。それからあとの夜は、いろいろな遊びごと、お芝居や、舞踏会や、コンサートや、訪問などで過ごされます。つまり、ママの生活はいろんなものでいっぱいになっていて、自分の時間というものはたった十五分間もないんじゃないかと思われます」

二時から四時まで姿が見えないのは、ご存じのように、恋人がたずねてくるからだが、もちろん毎日こうして自宅で会っているわけではない。とりわけ、気候の良い季節には、この時間帯に外で落ちあうことも少なくない。そして、そのデートの場所は、チュイルリ公園かシャン＝ゼリゼと決まっている。

チュイルリ公園は、十九世紀の社交生活においては今日では考えられないような重要な地位を占めていた。なんとならば、この公園は、貴婦人とダンディーにとって、一種の「デート・スポット」のような役割を果たしていたからである。

まず、二時ごろになると、近くの通りがにわかに華やかになり活気づいてくる。というのも、午後の散歩のファッションに身をくるんだ貴婦人たちが、カレーシュやランドーといった豪華な散策用の馬車で、続々と公園に乗りつけてくるからだ。

貴婦人たちは、グラン・ダレと呼ばれる中央の並木道の木陰にならべられた椅子に腰をおろし、知り合いの貴婦人とファッションや芝居の話に花を咲かせる。ここでは、夜会や舞踏会でかわされる類いの噂話や悪口は禁物で、だれに聞かれてもいいような当たりさわりのない話に終始する。服装はといえば、朝の部屋着に比べればドレッシーだが、夜の舞踏会や観劇の衣装に比べればはるかにカジュアルなスタイルで、その基本はシンプル・イズ・ベストである。

「このグラン・ダレでは、貴婦人たちは、うっかりすると、その人と見分けがつかぬくらい、シンプルで、感じよく、エレガントである。（……）帽子も、ドレスも、靴も、一番シンプルなものを選んでくる」（ジュール・ジャナン『パリの夏』）

ただ、こうしたシンプルな服装というのは、そのひとのセンスの良さというものが一番直截にあらわれるものなので、逆にいうと、流行の最先端をいくパリの貴婦人にとっては、チュイルリの服装こそは腕のふるいどころだともいえた。

「ここでは、パリの貴婦人は、贅沢はしない。ただ、センスの良さだけで勝負である」（同書）

もっとも、シンプルなスタイルでやってくるということは、じつは、彼女たちが見られることを主たる目的にしているのではないことを物語っていた。「この公園に彼女たちがやってくるのは、たんに見られるためだけではなく、見るためでもある」（同書）つまり、貴婦人たちにとって、この公園にやってくるダンディーたちを「見る」ことも、ひとつの「仕事」だったのである。

「そうしているあいだにも、たえず、若い男が会釈をおくったり、近づいてきたりする。

といっても、それはほんの一瞬のことである。それでいながら、この会釈はゆうに訪問に匹敵する意味をもつ」（同書）

ところで、ここにやってくるダンディーは、すでに貴婦人たちのお相手をつとめている連中ばかりとはかぎらない。つまり、これから、貴婦人たちのお眼にとまりたいと願っている若者も少なくないのだ。

いっぽう、こうしたダンディーからすれば、グラン・ダレで貴婦人たちの前を散歩するということは、ちょうど、女性審査員の前で、ファッション・コンテストを受けるようなものだった。いくら自分では、完璧なダンディーになりおおせたつもりになっていても、ここで貴婦人に振り向いてもらえなかったら、それは即、ダンディー失格を意味していた。逆に、注目を集めれば、センスの良さに折り紙がつくことになる。

『ゴリオ爺さん』の主人公ウージェーヌ・ド・ラスチニャックは郷里の妹たちから借りた金でダンディーに変身し、このチュイルリ公園にやってくる。

「ウージェーヌはボーセアン夫人の屋敷に行く刻限になるまで、チュイルリ公園をぶらぶらしてこようと思っていた。この散歩は学生の一生を宿命的に決するものとなった。いくにんかの貴婦人が彼に目をとめた。それほどに彼は美貌で、若くて、好みのいい高雅な身なりをしていた。ほとんど歎美といっていいくらいの注目の的に自分がなっているのを見て、彼はもう妹たちや叔母から絞り取ったことも、徳義にかなった潔癖な嫌悪の念をも、忘れてしまった」

男でも女でも、異性の視線というものは、どんな麻薬にもまさる強力な麻痺作用があるから、一度このチュイルリ公園で、視線の喝采を浴びた人は、もはやそれなしでは暮らせなくなる。そして、そうなったら最後、律義な生活には戻れなくなるのである。

ただ、そうはいっても、チュイルリ公園でセンスの良さを認められただけで、無一文の若者がいきなり公爵夫人の恋人になるというのは、バルザックが作りだした神話にすぎない。

たとえ、万が一にそうしたことがあったとしても、「正式採用」までは、夜会や舞踏会、オペラ座の桟敷席といった場所での二次試験、つまりエスプリの有無、家柄の正統性などを調べる口頭試問が待ち構えていた。

したがって、チュイルリ公園の果たしていた機能とは、ダンディー志願者にとっては、自分の衣装や立ち居振る舞いが滑稽ではないかどうかを確かめるリトマス試験紙のそれであり、いっぽう貴婦人にとっては、どれほど多くのダンディーが審判を仰ぎに自分のところにやってくるかを知る人気投票に近いものだった。ようするに、この当時のチュイルリ公園は、「見る」／「見られる」という、いかにもフランス的な男女の恋愛ゲームの一回戦が毎日繰り広げられている視線の競技場のようなものだったのである。

しかし、いずれにしても、チュイルリ公園のような公の場で、参加資格を問わない一種のファッション・ショーとランデ・ヴーと入会儀式《イニシエーション》とゲームを兼ねたようなものが毎日のように開かれていたというのは、考えてみればなんとも不思議なことではある。

だが、さらによく考えれば、こうした場所に貴婦人たちが、わざわざ散歩と称して出かけたということ自体がもっと不思議なことではあるまいか。

もちろん、チュイルリ公園は、貴婦人たちの多くが住む貴族の邸宅街フォーブール・サン＝ジェルマン地区に一番近く、散歩に最適だったという説明は可能である。

だが、それならなぜ、貴婦人たちは朝食のあと、公園に散歩に出なければならなかったのか。

じつは、これは、消化不良と新鮮な空気の欠乏をなによりも恐れる当時の医学が貴婦人たちに処方した健康法だったのである。つまり、医者たちは、チュイルリ公園のような緑の多い広々とした空間で散歩をして消化を助けることが、お肌の健康を保つには最適であると説いていたのである。

おかげで、貴婦人たちは、まさにこうした健康法を口実にして、チュイルリ公園でファッション・ショーとランデ・ヴーと恋愛ゲームを楽しむことができるようになったのである。

制度とか習慣は、あとから考えると不可解なものが多いが、その根底には、意外に「科学的」な理由が横たわっているものなのである。

第8章　公爵夫人の日常生活

（その三　シャン＝ゼリゼの散策）

チュイルリ公園が、ファッション・ショーと出会いを楽しむパブリックな「デート・スポット」だとしたら、シャン＝ゼリゼとブローニュの森の散策は、惹かれあった貴婦人とダンディーが、もっと相手を知ろうとしてもう一度顔をあわせたり、約束を取りかわしたりするためのプライヴェイトなランデ・ヴーの場所だった。

といっても、十九世紀といままでは、同じシャン＝ゼリゼという言葉でも、連想するそのイメージはまったくことなっているから、ここでひとつ、十九世紀の前半におけるシャン＝ゼリゼについて解説を加えておかなくてはならない。

十八世紀の中ごろ、ブローニュの森のロンシャンにあったクララ会修道院で聖週間に開かれるミサに豪華な馬車で集まってきたパリの上流階級の人々は、やがて天気のいい日には普通の日でも通り道のシャン＝ゼリゼで馬車を何台も連ねて気ままな散策を楽しむようになった。当時、シャン＝ゼリゼには、ほとんど人家がなく、幅の広い大通りの両側には並木が植えられ、馬をギャロップさせて遊ぶには最適の環境だったからである。

貴婦人たちは、現代のオープン・カーにでもたとえられるカレーシュとかランドーといった豪華な四輪馬車にゆったりと腰を落ちつけて爽やかな微風にスカーフやリボンをなびかせ、いっぽう、ダンディーたちは、ご自慢の駿馬にまたがったり、キャブリオレという軽快な二輪馬車を自分で御したりして、馬車に揺られる貴婦人たちに挨拶を送った。

このシャン＝ゼリゼでは、男も女も、お互いに相手を「見る」と同時に「見られる」ことが必要なので、馬車は、クーペやベルリーヌといった有蓋の箱馬車ではなく、女の場合はカレーシュかランドー、男の場合はキャブリオレかチリュビリーといった無蓋の馬車に乗ってこなければ無意味だったのである。

晴天の日には、ルイ十五世広場（現在のコンコルド広場）からブローニュの森まで、こうしたオープン・カー式の馬車の行列がえんえんと続いた。

貴婦人たちは、チュイルリ公園での散歩と同じく、野外の新鮮な空気に触れるのは健康維持に役立つという医者の処方を一応の口実にしていたが、実際には、パレードの目的は、富の衒示、つまり自分がいかに金持ちでエレガントで美しいかを男たちに見せつけることにあった。沿道には、ダンディー以外にも、こうした貴婦人の晴れ姿を一目見ようとするやじ馬が群がった。つまり、シャン＝ゼリゼが貴婦人とダンディーのデート・スポットだったとしても、そのデート・スポットは、まるでトーナメント中のゴルフ場のように、まわりをぐるりとギャラリーが取り囲んでいたのである。

したがって、貴婦人に秋波を送るダンディーとしても、馬車や馬は、貴婦人の豪華な馬車に見合うだけのものを用意しておかなければならなかった。もちろん、徒歩で来るなどということは論外で、馬車か馬をもっていない男は、貴婦人に会釈する資格さえないとされた。

「リュシアンは、工事の中断した凱旋門の前まで歩いていって引き返そうとしたとき、見事な馬をつけたカレーシュが向こうからやってくるのに出会った。その中にデスパール夫人とド・バルジュトン夫人の姿をみとめたときのリュシアンの驚きはいかばかりだったか。（……）彼はふたりの女の見える距離までくると、お辞儀をした。ド・バルジュトン夫人は彼のほうを見ようともせず、侯爵夫人は横目でチラリと見て、挨拶を無視した」（バルザック『幻滅』）

つまり、このシャン＝ゼリゼでは、着こなしの良さや趣味の良さだけでは勝負にならず、まずもって豪華な馬車、立派な馬という「道具」が絶対的な必要条件だったのである。この点は、拙著『馬車が買いたい！』で詳述したとおりである。

しかし、それでは、ダンディーたちの挨拶を受け止める貴婦人のほうはどうだったのかといえば、結局、こちらも、外見がそれに見合ったものでなければならなかったのである。つまり、乗っている馬車が紋章入りの豪華なものであるという基本的な条件はもちろんのこと、身につけている衣服がエレガントで、なおかつ人目をひく華麗なものでなければ、ダンディーたちも会釈をしにはこなかったということである。

生まれて初めてシャン＝ゼリゼにやってきた『二人の若妻の手記』のルイーズ・ド・ショーリューは、目一杯着飾ってきたつもりだったのに、だれも自分に挨拶しにこないのに失望する。

「きのう、二時ごろ、シャン＝ゼリゼとブローニュの森へ散歩にまいりました。（……）わたしはすてきにドレスアップしていました。笑いだしそうな気持ちを押さえて、メランコリックな表情をよそおい、美しい帽子の下に穏やかな顔をかくし、腕を組んでいました。それなのに、わたしに向かって微笑を投げる人はだれもないのです。わたしを見てぼんやり足をとめる若い男は、ひとりとしてありません。だれひとり振り返ってわたしを眺めようとはしないのです。そのあいだにも、車はわたしの物腰にふさわしく、ゆっくりと進んで行きました。これはどうやら思い違いをしたようです」

ひとりだけ、美しいダンディーが近寄ってきて会釈したと思ったら、それはなんと父親だった。それから、またひとり別のダンディーがルイーズのほうを眺めていたが、その視線は豪華な馬車そのもののほうにむけられていた。こうして、ルイーズは、パリの社交界の奥行きの深さをまざまざと実感する。

「わたしは自分の力を買い被っていたようです。美しさは神さまひとりが授けられる、世にもまれな特権であるはずなのに、パリでは、わたしが考えていたよりもずっとありふれたものらしいのです」

ルイーズは、この日の外出にそなえて、足の先から頭のてっぺんまで、ずいぶんとエレガンスに磨きをかけたつもりだったが、居並ぶ貴婦人の輝くような美しさの陰にすっかり霞んでしまって全然目立たなかった。シャン＝ゼリゼの散策は、チュイルリ公園の散歩とちがって、ひたすら富の衒示が目的だから、着こなしのポイントも「シンプルさ」ではなく、「華麗さ」にあったのである。シャン＝ゼリゼでは、広い野外でも自分の美しさを目立たせる、孔雀のような派手な衣装とドレスアップが必要だった。

その点、母親のショーリュー公爵夫人はさすがTPOを心得た着こなしで、ひときわ男たちの視線をひきつけた。

「媚態を示す女たちは、男たちから慇懃な挨拶をうけていました。真っ赤に口紅を塗った女たちのほうにむかって、男たちがいいました。《あっ、あのひとだ！》。こうして、ママはひとりで男たちの素晴らしい讃美を浴びました」

しかし、経験をつむうちに、ルイーズも、母親の立ち居振る舞いをしだいに学びとり、シャン＝ゼリゼでも男たちの視線を一身に集める貴婦人へと成長していく。パリでは、美しくなるためには、男たちの崇拝の眼差しを養分として吸収することがぜひとも必要なのである。

「パパはわたしの頼みを聞きとどけて、パリにも二つと見られないほど美しい馬と馬車を譲ってくれました。白と灰色の斑点のある馬二頭と粋を凝らしたカレーシュです。この馬車に乗り、白絹で裏打ちしてある日傘の下にすわったわたしは一輪の花のようでした。シャン＝ゼリゼを上っていくと、例のアバンセラージュが、目もさめんばかりの素晴らしい馬に乗って、わたしのほうへやってくるのが見えました。（……）あのひとはわたしに挨拶しました。そこで、わたしも元気づけるような親しみのこもった合図を返しました」

なかなかどうして、堂に入った貴婦人ぶりではないか。社交生活を始めてからわずか半年で、修道院の乙女が、男の気持ちを好きなように操ることのできる「貴婦人」へとすっかり変身をとげている。これもひとえに、自分が最高の贅沢を身につけ、輝くばかりに美しい存在になった事実を男の視線の中に確認する方法を、母親のショーリュー公爵夫人という社交界の先生からしっかりと学びとったためである。

かくほどさように、シャン＝ゼリゼとブローニュの森の並木道は、ちょうどチュイルリ公園がダンディーたちのリトマス試験紙だったのと同じように、パリの貴婦人たちが自らの美しさを正しく認識するための「魔法の鏡」のような役割を果たしていたのである。

第9章 「舞踏会へ」（その一）

社交界と舞踏会。およそ、思春期の女の子で、このふたつの言葉を聞いて、胸をときめかせなかった者はあるまい。鹿鳴館時代を除いて、そのようなものがかつて一度も存在したことのないこの極東の島国においてさえ、女の子たちは皆、漫画やテレビから得たイメージで夢を膨らませているのだから、十九世紀フランスの修道院でロマンチックな恋愛小説を読みふけっていた寄宿生たちは、当然のことのように、自分がいつの日か華やかな衣装を身にまとって、最高の社交界の舞踏会にデビューするときのことを夢想していた。

だが、こうした夢想が現実となることは、十九世紀のフランスでもまれだった。たいていは、叢深い田舎で平凡な夫と子供の世話に明け暮れるうちに、いつしか夢も色褪せ、や

がては、華やかな社交生活に憧れたことすらも忘れてしまうのが普通だった。

『二人の若妻の手記』のルネ・ド・モーコンブにとっては、結婚を承諾した時点で、こうしたつつましい生活はすでに予想済みのものだった。ルネは、社交生活へのデビューに胸をふくらませている親友のルイーズ・ド・ショーリューにあてて返事を書く。

「あなたがショーリュー家のお嬢さんとしてパリにときめき、そのはなやかな生活の喜びをとりいれようとするとき、あなたのかわいそうな牝鹿、ルネ、この片田舎の娘は、わたしたちが一緒に暮らしていた高い空の頂きから、凡俗の世界に落ち、ひなざくの一生にも似たつつましい一生を送るのです。（……）わたしたちふたりをヒロインとして描いて来た小説や、夢のような世界は、わたしにとってはすくなくともおさらばです。わたしは自分の一生がもういまからわかっています。わたしの一生を横切る大事件といえば、レストラード家の子供たちに歯が生えたり、御飯を食べたり、うちの草むらやわたしのからだをいためつけたり、そのくらいのものでしょう。（……）ねえ、ルイーズさん、あなたはわたしの生活のロマネスクな部分になってくださるわね。わたしはあなたのアヴァンチュールが聞きたいんですの。舞踏会やお祭りのようすを知らせてほしいの。あなたがどんなよそおいをし、美しいブロンドの髪にどんな花をのせ、そしてまた殿方の言葉や物腰がどんなだか、それを話していただきたいんです。あなたが耳を傾けたり、踊ったり、握られた指の先になにかを感じるときには、このわたしも一緒にいるのです」

ルネにこういわれたのでは、ルイーズ・ド・ショーリューとしても、その期待に応えないわけにはいかない。そこで、さっそく、社交界通信の第一報を書くことになる。

「二、三日中に、わたしはモーフリニューズ公爵夫人のお宅の舞踏会に行くことになっています。そしてあれほど知りたいと思っていた社交界にお目見えするわけです」

もっとも、修道院から出てきたばかりの女の子が、そのままの格好で社交界にデビューするわけにはいかない。まずは、舞踏会にふさわしい装束を買いととのえることから始めなければならない。ルイーズの母ショーリュー公爵夫人は、その点を噛んで含めるように娘にいってきかせる。

「ねえ、ルイーズ。きょうは晩餐にお客さまを招《よ》んであります。あなたもたぶん、わたしと同じ考えだろうと思いますが、社交界へ顔出しするのは、仕立屋さんがきて、あなたの服をつくってくれるまで待ったほうがいいでしょう。ですから、お父さまとお兄さまとにご挨拶がすんだら、すぐお部屋へお引き取りなさい」

ショーリュー公爵夫人は、もちろん、娘のためばかりでなく、自分のためも考えていっているのだ。だが、母親の艶姿を自分と引き比べてみたら、いくら修道院から帰ったばかりのルイーズだからといって、その言葉に納得するほかない。

「わたしは喜んで承知しました。ママのうっとりするような服装は、わたしたちが夢のあいだにかいま見た、あの社交界の最初の啓示でした」

とはいえ、十九世紀前半の社会では、既製服というものが存在していなかったから、社交界にデビューするための衣装といっても、ブティックやデパートですぐに買えるわけではない。なぜなら、当時は、デザイン、生地、仕立てという三つのファクターがそれぞれ独立していたので、いざ新しく服を誂《あつら》えようと思っても、順を追ってこの三つの段階を踏んでいかなければならなかったからである。

まず、デザインだが、これは現在よりも、はるかに、着る人の主体性に任されていた。つまり、デザイナーという確立した職業があったわけではなく、だれでも、こういう服を作って着たいと思えば、そのコンセプトにあわせて生地を買い、それを仕立屋に頼めばよかったのである。だが、いくらデザインは自由だといっても、勝手に突飛なデザインをしていいわけではなく、おのずと規範のようなものができあがっていた。これがいわゆるモード（流行）というものである。

では、デザイナーのいない時代に、モードはどのようにして決定されたのかといえば、ルイーズのママのショーリュー公爵夫人のような上流社交界の花形レディーが最高のデザイナーであり、トレンド・メイカーだったのである。

たとえば、上流社交界の名流婦人が詩か小説を読んでいたときに、新しいデザインのコンセプトを思いついたとしよう。彼女は、さっそく生地屋と仕立屋を呼んで、そのコンセプトに基づいたドレスを作らせる。なにごとにも嗜みのある貴婦人のことだから、デザイン画ぐらいは自分でも描けたのかもしれない。彼女が、この新しいドレスに身をくるんで舞踏会に姿をあらわせば、次の日から、社交界の貴婦人たちは、我も我もと同じようなデザインのドレスを仕立屋に注文することになる。それは、ほとんどひとつの命令であって、だれにも逆らうことはできない。こうして、その年のニュー・モードは決定されていく。

しかし、こう書くと、ではモード新聞のファッション・プレートは、いったいなんのためにあったのだ、むしろファッション・プレートが最新モードを作りだしていたのではないのかという声が上がるかもしれない。この疑問に対しては、ノンともウイとも答えることができる。

まずノンという答え。現在、モード雑誌というものは、基本的に各ブランドなりメゾンがパリやニューヨークのコレクションで発表したニュー・モードを伝達するためのメディアであって、モード自体を創造するわけではない。この点は、十九世紀のファッション・プレートも同じである。すなわち、ファッション・プレートは、デザイナーの役割を果たしていた上流婦人がクリエイトしたファッションを美しい版画に起こしたもので、ファッション・プレート自身にクリエイティヴィティーがあるわけではないのである。

もっとも、今日、モード雑誌がメゾンとタイアップしてコレクションの発表前に情報を仕入れているように、当時のファッション・プレートも貴婦人がドレスを仕立屋と一緒につくる段階から密着取材を行っていたので、あたかもファッション・プレートから流行が発信されるような印象を与えるということはあった。

なかでも、第三章に引き合いにだしたジラルダンのモード新聞『ラ・モード』は、着こなしとセンスの良さを教えることを編集方針としていたので、こうした傾向は強かった。だから、ボヴァリー夫人のような地方のブルジョワ夫人ばかりか、流行の震源地であるパリの上流社交界の貴婦人たちも、『ラ・モード』で紹介された最新ファッションはさっそくこれを取り入れることにしていたのである。この点から見れば、答えはウイということになる。

ところで、ショーリュー公爵夫人の娘であるルイーズは、母親がモードの発信者なのだから、衣装を誂えるにしても、デザインに頭を悩ます必要はなかった。だからこそ、修道院から帰った次の日には、社交界デビューにそなえて、仕立屋が呼ばれることになったのである。

「召使のフィリップは一日じゅうほうぼうのブティックや仕立屋のところを駆け回りました。この人たちが、わたしの姿をすっかり変えてくれる手筈になっています。有名な裁縫師のヴィクトリーヌとかいう人がやって来ました。ランジェリー屋や靴屋も来ました。いままでひっかけていた修道院のあの袋みたいな制服を脱ぎ捨てたら、どんなになるだろうと、わたしは、まるで子供のように、わくわくしています」

これは、たとえてみれば、さなぎが蝶に変身する決定的瞬間だろう。現代なら、こんな機会は、ヴァージン・ロードを踏むためにウエディング・ドレスを誂えるときぐらいしかないが、ルイーズにとっては、こうした暮しが毎日続くのだ。わくわくするのは当然である。次章からはその変身の過程を見ていくことにしよう。

第10章「舞踏会へ」（その二）

社交界へ、舞踏会へ、ルイーズ・ド・ショーリューの心ははやる。だが、彼女を変身させるために呼びよせられた仕立屋たちは、まず、慎重に衣装の寸法をはかる作業から始める。

「この仕立屋さんたちは、揃いも揃っておそろしく時間をかけたがるものです。コルセットの仕立屋はすらりとしたからだを台なしにしたくなかったら一週間待ってくれと申します」

十九世紀の服装を特徴づけるのは、なんといってもこのコルセットである。

当時、コルセットは文字通り、女性服の土台《ファウンデーション》であり、骨組だった。だから、修道院

の制服を脱いだ若い娘が一人前の女に変身しようとするときには、まず、このコルセットによって、肉体を無理やり改造しなければならなくなる。つまり、社交界にデビューし、やがて結婚へとこぎつけるためには、このきついコルセットを身につけるという拷問を受け入れて、胴をしめ、乳房を支え、臀部を突き出し、シルエットをS字形にくねらせなければならないのである。それは時代の美学とエロティシズムの要請であり、この拷問がいやなら、結婚をあきらめ修道院に戻るほかはなかった。

しかし、それにしても、モードの規範というのはなんと理不尽で残酷なものだろうか。というのも、十九世紀を支配した「ふくらんだバスト、細いウェスト、突き出たヒップ」という美学を支えるために採用されたコルセットは、あきらかに女性の健康を損ねていたからである。ある医師の統計によればコルセットを着用する百人の娘のうち、二十五人は結核にかかり、十五人は最初の出産で死亡し、十五人は最初の出産のあと、病気がちとなり、十五人は奇形となる。もちこたえるのは三十人だけだが、その女性たちも多かれ少なかれ、不快感に苦しむことになる。

だが、モードの要請は絶対だった。そのため、どんな危険が待っていようと、女性たちは胴を少しでも細くしようと、鯨の髭でできたコルセットの紐を締めつけた。胴が細ければ細いほど「美人」であるとされていたためである。中には、コレットのレスビアンの恋人だったポレールのように胴を細くするために肋骨を何本か切り取った者さえいた。

ルイーズの仕立屋は、こうした点を心得ていたから、ルイーズの肉体を損ねず、しかも胴がすらりとして見えるような理想的なコルセットを作るには、一週間の期間が必要だといったのだろう。

こうしたコルセットの専制が支配したのは、ちょうど、一八一〇年から一九一〇年の百年間である。すなわち、ディレクトワール様式といわれたハイ・ウェストのゆったりとしたギリシャ風ドレスが廃《すた》れ始めたのがナポレオン帝政末期の一八一〇年で、この年にニノン風コルセットが開発されて、くびれた胴への回帰が始まり、その後、王政復古、第二帝政、第三共和制と時代が進むにしたがって胴の締めつけはますます厳しくなっていった。女性がコルセットの拷問から解放されたのは、ようやく二十世紀に入って、デザイナーのポール・ポワレが一九一〇年前後にディレクトワール・スタイルのドレスをリヴァイヴァルさせてからのことにすぎない。

さて、コルセットについての無駄話をしているあいだに、どうやらルイーズの寸法取りも終わったようだ。しかし、ルイーズには、靴、手袋、下着など、まだまだ用意しなければならないものがあるらしい。

「オペラの靴商のジャンセンは、わたしの足がママそっくりだって、何度もくり返しました。わたしは午前中をこうした大事な仕事のためにつぶしました。手袋屋までわたしの手の寸法を取りにやってきました。下着屋にも注文をとらせました」

まず、靴だが、十九世紀においては、男性の視線がここに集まる度合がいまとかなりちがっていたことに注目しなければならない。つまり、いまの男たちにとって、ミニ・スカートからのぞいた脚は当然性的な関心となりえるが、靴はかならずしもセクシュアルな視線を浴びることはない。それどころか、靴をそうした視線で見つめたら、このひと、変態かしらと思われてしまうだろう。ところが、十九世紀には、靴はあきらかにひとつの欲望の対象となりえるものだった。なぜなら、靴は、完全に隠蔽された下半身にあって、唯一視線に解放されていた部分だったからである。

十九世紀は、女性の上半身の露出に関してはきわめて寛容だった。中でも肩と胸は、コルセットとデコルテの流行もあって、大きく露出され、男性の視線に常にさらされていた。とりわけ、パーティーや舞踏会などでは、どれほど嫉妬深い男といえども、パートナーをほとんど上半身裸に近い格好で、人前に連れだささざるをえなかった。それが、モードの要求する規範だったからである。

これに対して、下半身の露出は極度に制限されていた。引きずるような長いスカートが大きくふくらんで、脚はすっぽりと覆い隠されていた。脚を男性の前で露出することは絶対的なタブーだった。

だが、こうなると不思議なもので、男性の視線は、デコルテでむきだしになった胸元よりも、かえって隠された脚と足に集中するようになったのである。なにかの加減でちらりと足元と靴が見えたりすると、その瞬間に男性は最大のエロティシズムを感じるようになった。したがって、女性としても、靴選びには、細心の注意を払う必要があったのである。

ところで、『ラ・モード』に載っているガヴァルニのファッション・プレートを見てみると、女性の靴は、短靴にしても半ブーツにしても、どちらも非常に華奢にできていることに気づく。これは、かならずしも男性の視線ばかりを意識したためではない。すなわち、上流階級の女性は、外出に際してはかならず馬車に乗ることになっていたので、歩くのは室内か、戸外でもせいぜいチュイルリ公園の散歩ぐらいにかぎられており、靴は土に触れるということをほとんど考慮せずに作られていたからである。第一、当時は、歩道が整備されておらず、道路は真っ黒な泥で覆われていたから、一歩でも道路を歩けば、靴はたちまち台なしになってしまったのである。

手袋についても、ある程度、靴と同じことがいえる。つまり、ルネッサンスのカトリーヌ・ド・メディシスの時代に鞣革《なめしかわ》の手袋というものが流行して以来、女性の手は極度に性的な意味を与えられていたから、女性は、いきおい、この手袋の性的な暗示作用を利用して、男性の欲望を刺激したり、抑圧したりする技法を身につけざるをえなかった。いずれにしても、手はその女性が労働とはいっさい無縁な証拠であり、手袋は手を小さく、指をほっそりと見せるようなものでなければならなかった。

このように、からだの外部を覆っているものについては、男性の眼を意識したありとあらゆる工夫が凝らされていたが、いっぽう、眼に触れない部分、つまり、下着はどうなっていたかというと、こちらは、現代とは多少ちがった考え方がされていた。

まず、上流の若い娘にとって、婚前の性交渉は、絶対にあってはならないものだったから、下着は、見せるためという要素はいっさい含んではいなかった。

しかし、そのいっぽうでは、入浴というものがあまり普及せず、清潔は下着を頻繁に替えることによってしか保たれなかったので、下着は、衛生的モラルのバロメーターとしても機能していた。そのうえ、下着は金銭と社会的地位のバロメーターでもあった。というのも、上下水道の設備がほとんどなく、洗濯は洗濯屋にたのむしか方法がないうえ、下着自体も高かったからである。したがって、未婚の女性は、衛生とモラルを保つために、飾りのない清潔な下着をいつも身につけていることが要求された。

これに対し、既婚の女性は逆に、配偶者のみならず、愛人の視線というものまで意識せざるをえなかったから、下着のおしゃれにも当然気を配っていた。そのせいか、十九世紀のフランスにおいては、下着の生産が飛躍的に拡大し、刺繍やレースのついた下着がかつてないほど普及した。それにまた、ドレスやスカートが大きくふくらむにつれ、重ね着される下着の数も増し、それと同時に男性の側の欲望とフェティシズムも強くなった。

ところで、ひとくちに下着といっても、十九世紀には今日の常識では考えられない事実が存在していたので、まず次の点をフィリップ・ペローに拠って確認しておこう。

「十六世紀にブラントムは高貴で粋な女性の間に広まったカルソンの流行を伝え、その形状をも描写し、マルグリット・ド・ヴァロワがそれを着用していたのは羞恥からよりも艶好みからであったことは間違いないという。しかし、十七世紀、十八世紀けその直接の子孫として今日のパンティやショーツをもたらすこの筒のついた下着を全くなしで済ませた」（『衣服のアルケオロジー』）

この傾向は十九世紀も半ばすぎまで続いた。ドロワースと呼ばれる筒状の下ばきは、小さな女の子のはくものとされ、成熟した女性が、あまりに奔放な動作を可能にするこの下着を身につけるのは、はしたないこととされていた。着用が許されるのは、乗馬やスケートなどを嗜むときだけで、それ以外は、スカートの下に何枚もペチコートを重ねることになっていた。ペチコートは、ドレスやスカートのすぐ下には、人の目にふれる可能性もあるので厚手でレースなどの装飾のあるものをつけ、内側にいくにしたがって薄手のものをつけた。こうして、何枚も、ときには、十数枚もペチコートを身につけることもあった。

ところが、第二帝政期にクリノリンという一種の鉄製のスカート籠が出現して、ペチコートの数を減らすことになってからというもの、逆にドロワースが普及するようになったのである。フィリップ・ペローはこういっている。

「この習慣がクリノリン自体よりもはるかに長生きして、コルセット、ペチコート、ガーターなどが消滅した今日まだなおその短い変種がパンティもしくはショーツとして存続し

ているのである」（同書）

この引用にあるガーターについていっておけば、サスペンダー式になるのは、十九世紀も末のことで、それまでは、靴下は膝の上で小さなゴムバンドでとめるのが普通だったようだ。靴下はライル糸のレース編みが主流で、これももちろん男性の性的な視線の対象となった。

ところで、こうした上から下までの衣装をルイーズはすべて、仕立職人や下着屋などを呼んで寸法を取らせていたようだが、この箇所の描写を読んで、現代の我々としてはひとつの疑問を感じないわけにはいかない。つまり、その職人は男だったのか、また男だったとすれば、ルイーズは恥ずかしくなかったのかというものである。原文を読むと下着屋はさすがに女性のようだが、それ以外は、靴屋もコルセット屋も手袋屋も、男性の仕立職人である。とりわけ、コルセット職人はおそらくじかにルイーズの体にメジャーを当てて寸法をとったのだろう。修道院から出てきて、いきなり男の仕立屋に肌を見せてもルイーズは平気なのか。

この心配はまったく無用だった。なぜなら、十九世紀には、身分の上下がはっきりしていたので、上流階級の女性は、対等の階級の男性以外は、男性とは認めず、犬や猫と同じ気持ちで接していたから、裸になっても、羞恥心は感じなかったのである。

「やんごとなき貴婦人は家臣の前でも平気で着替えをしたものだ。家臣など牛も同然というわけである」（バルザック『優雅な生活論』）

さて、以上で、仕立屋の世話になるものはすべて準備できたが、身につけるものでひとつだけ、貴婦人といえども、ブティックまで出かけて買わなければならないものがあった。それは帽子である。

「わたしの夕食のとき（それは我家では昼食の時間なのですが）、ママは、帽子をたのみに、帽子屋に行こうと言いましたが、それはわたしの眼をこやし、わたしが自分で注文できるようにするためなのだそうです」

帽子は外出のさいにはかならず身につけなければならないとされていた。無帽でいることは、庶民の女性であることを自ら告げていることになってしまった。

帽子に対するセンスは決定的なものとされ、服とどのように調和させるかが、貴婦人の腕の見せ所だった。服が立派でも帽子が貧弱だったら、すべてが台なしだったから、母親としては娘にセンスの教育を施す必要があったのである。それに、帽子は「小鳥、羽根、花、果物、葉、麦穂、チュール織、レース、タフタ、それらをラッフルや花づな、襞飾りにしたり、リボンをつけたり、結んだり垂らしたり、無限の組合せが行われる。また帽子の位置にも気を配らなくてはならない」（フィリップ・ペロー、前掲書）ので、着こなしは本当にむずかしかった。ファッション・プレートにも、帽子特集があるのはこのためである。

もっとも、舞踏会や夜会、それに自宅では帽子は逆に着用してはならないことになっていたから、帽子のお洒落は、あくまで、昼間の外出と散策用にかぎられていた。というのも舞踏会や夜会では、なによりもまず、デコルテのドレスで大きくえぐられた真っ白の肩と胸が、ハイライトになるので、これを見せないようにする帽子はまったく必要のないものだからである。

たとえていえば、帽子とデコルテは互いに反比例の関係にあったのである。

その証拠に、午前中の外出着には堅く禁じられていたデコルテは、時間が進むにしたがって少しずつ許されるようになり、夜のパーティーにはなくてはならないものとなる。並の規模の晩餐会には、やや胸ぐりがあいた地味目のドレスがよいとされているが、大晩餐会、とりわけ、舞踏会には、引き裾付きの豪華なドレス、束髪を飾る花やダイヤ、裸の胸を飾る真珠や宝石のネックレスが絶対に必要なものとされていたから、いきおい、デコルテで露出しなければならない肌の面積も大きくならざるをえない。

舞踏会は、結婚市場における娘の商品価値を決める重要な試練であり、極端にいえば、今後の社会生活や家族の運命をも決する影響力をもっているから、家族、とりわけ母親は、この日のために様々な戦術を駆使することになる。ルイーズは母親の薫陶よろしきを得て、舞踏会でのデビューにそなえて、鏡の前で自分の武器を点検する。

「ルネさん、わたしはもういつでも社交界へ出る用意ができました。（……）けさ、何度もやり直したあげく、きちんと、しきたり通りに、コルセットをつけて、靴をはき、胴をしめ、髪をゆい、ドレスを着て、お化粧をしました。わたしは戦いを交じえる前の決闘者のような格好をしてみたのです。入口の戸をぴったり閉めてやってみました。武装した自分の姿が見たかったのです」

思春期を終え、社交界にデビューしようとしている少女にとって、これはまさに恍惚の一瞬だろう。ルイーズはカルメル会の修道女の制服を着ていた自分がこれほどまでに変身するとは信じられなかったにちがいない。では、ルイーズは鏡に映った自分の姿にどのような判定を下したのだろうか。

「勝利者の、勝ち誇ったかわいらしいようすを認めて、わたしはすっかり上機嫌になりました。これを見ては頭を下げずにはいられますまい。わたしは自分自身を検討し、判断を下しました。（……）わたしはフランスじゅうで一番美しい女のひとりなのです。こう言えば、この気持ちのよい一章がぴったり要約できるでしょう」

日本人では、これだけ自分の姿に恍惚となることができるかどうかわからないが、しかし、多少とも容姿に自信のある女性の心に尋ねてみれば、案外、これと同じモノローグが鏡の前でかわされているのかもしれない。

もっとも、ルイーズにしたところで、こうした自信とは裏腹に、疑惑の影がときどき心をよぎるようだ。

「毎日毎日、ママの腕のまるまるとした美しさに見とれたあとで、自分の痩せた腕を見てがっかりすることもあります。（……）いくらか痩せぎすの腕の線は肩にも出ています。本当のところを白状すれば、わたしには肩などないのです。（……）胴にもやっぱり柔らかみがありません。脇腹のあたりがぎこちないのです」

だが、ルイーズはすぐに自信を取り戻す。自分は健康的だ、それになによりも若いのだ。若さこそが一番の価値だ！　ルイーズはもう一度繰り返して、手紙を終える。

「あす、ええ、あすの晩、わたしは社交界に紹介されるのです！」

第11章　憧れの舞踏会

さて、待ちに待った舞踏会の日である。

宮廷の大舞踏会、あるいはフォーブール・サン＝ジェルマンの大貴族やショセ・ダンタンの大富豪の舞踏会は、たいてい、正月元旦からカーニヴァルの間の期間に開かれる。

舞踏会が始まる時刻は、今日の常識からするとかなり遅い。早くて夜の十時、遅いときには十一時すぎのこともある。

ところで、肝心の『二人の若妻の手記』には、ルイーズ・ド・ショーリューが舞踏会に出かけたときの感想は記されているが、舞踏会の具体的な細部の記述は少ない。したがって、その部分は、当時の様々な証言をモザイクにして我々の手で再構成するしかない。

招待客たちは、定刻の三十分ほど前から、家紋をあしらったクーペやベルリーヌといった有蓋の箱馬車で続々と到着する。社交界には、夜間の外出は有蓋の箱馬車を使用することという不文律があるので、このタイプ以外のカレーシュやランドーといった幌の馬車や辻馬車でやってきたりしたら、それだけで、召使に馬鹿にされてしまう。歩いてきたりしたら、門前払いを食わされることは必定である。以前、靴についた泥で、徒歩でやってきたことを見破られて大恥をかいたことのある『ゴリオ爺さん』のラスチニャックも、いまでは、ゴリオの娘で銀行家のニュッシンゲン男爵の妻であるデルフィーヌの愛人におさまっているので、彼女と一緒に、ボーセアン夫人の舞踏会に、堂々とクーペで乗りつける。

「五百台の馬車の角灯が、ボーセアン邸のまわりを照らし出していた。あかあかと明かりのともった門の両側には、颯爽とした騎乗憲兵がひとりずつ控えていた」

馬車が中庭の奥の車寄せの下でとまると、きらびやかな仕着せを着た従僕たちが近寄って馬車の踏台を降ろす。招待客は広々とした外付き階段を上って、玄関ホールの受付で招待状をだす。

『ゴリオ爺さん』では、この日の舞踏会の主催者であるボーセアン夫人が、直前になって、愛人のダジュダ・ピント氏に捨てられたという噂が飛んでいたので、好奇心のかたまりとなった社交人士たちが大挙して訪れ、玄関ホールはたいへんな混雑におちいっている。

「上流社会の面々が続々とつめかけ、だれもが失寵の瞬間のこの高貴な貴婦人を一目見たいと焦ったので、屋敷の一階に位置した広間はいずれも、ニュッシンゲン夫人とラスチニャックが姿を現したときにはすでに満員だった」

フォーブール・サン＝ジェルマンの貴族の大邸宅はどこも、ヴェスティビュルと呼ばれるこの玄関ホールからして、とてつもない豪華さであるが、なぜか、『ゴリオ爺さん』には、この玄関ホールの描写がない。

そこで、十九世紀の風俗観察の雑文を探してみると、だいぶ時代は後になるが、フォーブール・サン＝ジェルマンにある大銀行家ロスチャイルド（ロートシルト）家の舞踏会に招待されたレポーターが詳細にしるした描写が見つかった。建物自体は、『ゴリオ爺さん』のころとそれほど変わってはいないはずなので、ここでは、その描写を参考に掲げておくことにする。

「玄関ホールに入ると、そこはとてつもない大きさで、厳しく荘厳な感じがする。天井はイオニア式の柱列で支えられ、床には白と黒の大理石がはめてある。ところどころに、彫像が置かれているがその足元はアザレアの茂みで隠れている。さらに二頭のイルカが絡み合った噴水があり、そこから流れる水が、あたりに爽やかさと階調を生み出すいっぽう、

二階の大広間に通じる階段の上に立って玄関ホールを見下ろすと、
階下がまるで舞台のように見える。ヴェルサイユ宮殿の舞踏会。

花飾りが、それに、色彩と香りをまじえている。地味でシックな仕着せを着た従僕たちがまるで垣根のように、身動きひとつせず、ずらりと並んでいる」（セットフォンテーヌ『社交年鑑』）

舞踏会の会場はたいていは二階に設けられ、招待客たちは、建築家ガブリエルの時代の典型的な石造りの巨大な階段を上っていく。ロスチャイルド家の舞踏会の会場は、いくつにもつながる広間で、そのガラス窓から玄関ホールを見下ろすと、さながら劇場のボックス席から舞台を見るように、到着した貴婦人たちの絹のドレスがきらめき、裸の肩にかけたショールや宝石が光を受けて眩く反射するのが眼に入る。

主催者のロスチャイルド男爵夫妻は第二の広間に控え、招待客にいちいち握手している。ロスチャイルド男爵夫人は、イギリス刺繡をあしらった素晴らしいブロケード織りの純白のドレスに、鈍い金色のサテンの帯、首には真珠のネックレスといういでたちである。その脇には、娘のモーリス・エフリュス夫人が控えているが、こちらは同じくブロケード織りのバラ色の絹地に、金のスパンコールをちりばめたドレスを着て、首に真珠のネックレス、髪にダイヤモンドのミツバチの髪飾りをあしらっている。男たちは全員が黒の燕尾服である。

会場の壁際には、椅子が並べられているが、これは女性専用で、男性は絶対に腰掛けてはならないことになっている。天井には豪華絢爛たるシャンデリヤがかかっている。

さて、以上で、フォーブール・サン＝ジェルマンの大邸宅の舞踏会の様子はほぼ理解できたかと思うので、ここで再び時代を遡《さかのぼ》って『ゴリオ爺さん』のボーセアン家の舞踏会に戻って、筆をバルザックにゆだねることにしよう。やはり、描写はバルザックのほうが精彩がある。

「パリでも屈指の美人たちが、彼女たちの衣装と微笑でいくつもの客間に活気を添えていた。宮廷のとりわけ高貴な貴顕たち、大使たち、大臣たち、十字勲章や略綬や色とりどりの授章を飾りたてた各界の名士たちが、子爵夫人のまわりでひしめいていた。この宮殿も、あるじの女性にとっては無人の館に等しかったが、その金色の天井板の下で、オーケストラが楽曲の主題旋律を響かせていた。ボーセアン夫人は第一の客間の前に立って、彼女の友と称する客たちに挨拶していた。白の衣装をまとい、さりげなく編んだ髪に飾りひとつつけていない彼女は、落ち着きはらって見え、苦しさも傲慢さも偽りの喜びもひけらかしていなかった」

ただ、残念なことに『ゴリオ爺さん』には、ボーセアン家の舞踏会が始まってからのことは省略されている。したがって、舞踏会の具体的な進行については、別の証言をもって代用するほかないが、幸い、七月王政の時代にパリにやってきたアメリカ人ウィリスが、ルイ・フィリップ国王主催の宮廷舞踏会のことをこと細かに描写している文章がベルティエ・ド・ソヴィニー編『アメリカ人旅行者の見たフランスとフランス人　一八一四－四八』に収録されているので、ここでは彼の証言をもとに舞踏会の様子を再現してみよう。

宮廷舞踏会の開かれるチュイルリ宮殿の「マレシャル（元帥）の間」は、現役の元帥たちの肖像がずらりと壁面を飾る広壮なギャラリーで、天井はチュイルリのドームにまで達している。ルイ・フィリップ国王一行が入場し、王妃が着席すると、それを合図にオーケストラがカドリーユを演奏し、人々は広間の中央に集まる。皇太子のオルレアン公は美しいイギリス娘をパートナーに選んだようだ。

広間の中央に集まった招待客の中の最初のカップルが、新作オペラ『悪魔のロベール』の音楽にあわせて踊りだし、舞踏会が始まった。

ダンスは最初、指先だけが触れ合う上品なカドリーユだったが、やがて動きが激しく、触れ合いが多いコチヨンに移る。初めて娘を舞踏会に登場させる親たちは、ここらあたりから、娘の様子が気がかりになるが、人込みと喧噪で、監視は思うにまかせない。次いで、ワルツが始まると、男のパートナーが女のパートナーの胴を抱きかかえる部分が多いので、親の心配はさらに高まる。

ところで、なにかしら新しいステップが外国から輸入されて流行する場合、最初にこれを取り入れるのは、いつも大ブルジョワの多いショセ・ダンタンの舞踏会ときまっていた。新しいステップが大貴族のフォーブール・サン＝ジェルマンの舞踏会で認可されるには、なお数年の期間を要した。たとえば、コチヨンは、一八二〇年ごろに登場したが、上流階級に認可されたのは、ベリー公爵夫人がこの新しいダンスを踊った一八二七年のことである。一八二五年ごろ、ギャロップが大人気となるが、すぐに口うるさい道徳家の非難を浴びた。もっとも、これも、ワルシャワからやってきたポルカの激しさと大胆さに比べたら、ものの数ではなかったようだ。

このように、次々と新しいダンスが紹介されると、踊るほうでもステップを覚えるのにたいへんなので、ダンスの教習員がおおいにもてはやされることになった。ダンスのリード役をつとめる男性はもちろんのこと、女性もステップを覚えておかなければならない。『二人の若妻の手記』のルイーズ・ド・ショーリューは、当然、ダンスの心得などまったくないから、先生をたのむことになる。

「あれほど知りたいと思っていた社交界にお目見えするわけですから、毎朝、ダンスの先生に来ていただくはずです。わたしは一月中にダンスを覚えなければなりません。さもないと、罰として舞踏会へ行くのを取りやめにされるのです」

　こうして、あらかじめダンスのてほどきを受けておけば、どんな新しいステップでも、男性の誘いに応じることができる。舞踏会というのは、社交界にデビューする令嬢たちのお披露目をかねているから、できるかぎりたくさんの男性に顔と名前を知ってもらう必要があるのだ。

　しかし、それにしても、真新しいドレスに身をくるんで、社交界デビューのための初ステップを踏みだすときの令嬢の気持ちというのは、いったいどんなものなのだろうか。おそらく、会場にいる全員の目が自分に注がれていると考えているにちがいない。だが、実際には、あかぬけない小娘に関心をむけるものなどほとんどいないのだ。

「わたしが、ここへ来たという、珍しい、前代未聞の、たぐいまれな、奇妙な、不思議な出来事に目をみはるひとは、ただのひとりもありませんでした。ひとりきりで白と金色のサロンを得意になって歩き回ったとき、わたしを有頂天にさせたこの衣装も、美しく着飾ったたくさんの貴婦人たちのあいだへ出ると、いっこうに目立たないのです」

　ルイーズが目だたないのは、ひとつには母親のせいだった。ショーリュー公爵夫人はあまりに美しすぎて、ルイーズは自分が母親のたんなる引立て役でしかないことに気付く。自分のところへ寄ってくる男たちは、みんな母親が目当てなのだ。

「ママは声望を一身にあつめた形でした。わたしをだしにして、みんなが愛想のいいお世辞を振り撒きました。(……)舞踏会では若い娘など相手にされません。踊る道具にすぎないのです」

もっとも、フランスでももっとも高貴な家柄に生まれた自信家のルイーズだからこそ、自分が注目されないことにこうした幻滅を覚えるということもできる。

げんに、ヴォヴィエサールの舞踏会に招待されたことに心から感激しているボヴァリー夫人のような田舎のうぶな人妻にとって、舞踏会でのファースト・ステップは、生涯忘れられない貴重な思い出となる。

「踊りの相手に指先を取らせて列につき、さてステップを踏み出そうと、ヴァイオリンの弓の最初のひと触れを待ったとき、エンマの胸はそぞろにはずんだ。しかし、やがて興奮は消えた。彼女はオーケストラのリズムに乗って体をゆらし、かすかに首を動かしながらすっと踏み出た。ときどきほかの楽器が鳴りをひそめて、独奏ヴァイオリンがひときわ優美な旋律をかなでるときなど、微笑がおのずと口もとに浮かんだ。(……)と思うまに、ふたたびオーケストラは全奏となり、コルネットは高らかに鳴りひびく。足はまた拍子を踏み始め、スカートはふくれて軽くすれ合い、手と手は組み合わされてはまた離れた。さっきは伏し目になってこちらの視線を避けたはずの同じ目が、いつしかじっとこちらを見つめていたりした」(フロベール『ボヴァリー夫人』)

エンマにとって、ダンスのパートナーとなる男たちは、みな、とびきりのダンディーに見える。いかにも、上流階級の人間らしい顔つき、洗練された仕草、ちょっと見ただけでは見分けがつかないが、おそらくは、超一流のテイラーに仕立てさせたのであろう上等の燕尾服、真っ白なワイシャツ。エンマはそのすべてを記憶にとどめようとするかのように、ひそかに相手を観察する。

「彼らの服はほかの人たちより仕立てがよく、ラシャの生地もずっと柔らかそうだったし、こめかみのほうに渦を巻かせてなでつけた髪も、とりわけ上等のポマードで光らせたらしく見える。それに顔色が富貴の光沢を帯びていた。それは磁器のほのかな色や、繻子の木目模様のきらめきや、豪華な家具のニスの輝きなどによっていっそう引き立つ白さ、えりぬきの白さだった。首は低目に結んだネクタイの上に屈託なげにまわり、長い頬ひげは折り返した襟の上にたれて、彼らが頭文字を大きく刺繍したハンカチで口もとをふくと、ハンカチからは甘いにおいがするのだった。初老の人たちはかえって若々しく見え、若い人たちの顔にはすでに老いのかげがきざしていた」

エンマが若いダンディーたちに覚えたこうした印象は、じつは、『二人の若妻の手記』のルイーズのそれとほとんど変わらぬものだった。ルイーズは次のように書いている。

「ママの紹介でわたしは馬鹿な殿方たちとダンスをしましたが、そのかたたちときたら、口を揃えて、どうもお暑いことですとか、きれいな舞踏会ですねとかそんな話ばかりするのです。(……)男のかたたちは、みんな磨りへらされた感じで、その顔だちには特徴がありません、と言うよりはむしろ、どれもこれもが同じ特徴を持っているのです。肉体的な力に精神的な力をかね備えた、わたしたちのご先祖たちの肖像画のなかにあるようなあの誇らかな、たくましい顔つきは、もう見られなくなってしまったのです」

それでも、ルイーズは、自分がもてはやされないのを恨んだりしていても仕方ないと心を決め、何の屈託もなく、踊り始める。

「わたしはダンスが楽しくなりました」

ルイーズの場合、まだデビューしたてのあか抜けない娘だったので、ダンスの申し込みはさほどでもなかったようだが、母親のショーリュー公爵夫人のまわりでは、せめて一曲だけでもパートナーをという男たちが順番待ちをしていた。では、そうした男たちは、どうやって踊る順番を決めたかといえば、おおよそ次のようにしていたらしい。

「ラスチニャックにとっては、アナスタジー・ド・レストー夫人は欲望をそそる女なのである。彼は扇子に書く踊りのパートナーのリストに、二度も名前を書きこんでもらい、最初のカドリールのときに言葉をかわすことができた」（『ゴリオ爺さん』）

バルザックの時代には、ここにあるように、扇子に名前を書き込んでいたようだが、世紀末になると、このために作られた「舞踏会の手帖」というものが生まれる。ジュリアン・デュヴィヴィエの名作『舞踏会の手帖』は、未亡人となったマリー・ベルが社交界にデビューしたときの舞踏会の手帖を見つけ、そこに記されていた何人かのパートナーを訪

当時の国王ルイ＝フィリップの王子オルレアン公主催の最高級の夜会。女性の多くが腰掛けている。男性の視線がどこに行くかは自明。

ねる旅に出るというものである。女性というのは、いくつになっても、最初の舞踏会で踊った相手というのを特別の感慨をもって思い出すものなのだろうか。

さて、ダンスがひととおり終わると、中休みにビュフェ（軽い立食）が出される。飲物は、オルジャと呼ばれるアーモンド・シロップか、パンチ酒である。とりわけパンチ酒は、舞踏会には欠かせない飲物だった。おおきなクリスタルのボールに入れた金色の液体の上にブルーの炎が走り、貴婦人の剝き出しの肩にその影が揺らめく。ボーイたちは、こうしたカクテルやビスケットやケーキをのせた盆を持って、人々のあいだをめぐってゆく。サービスが行われる時刻はだいたい決まっていて、十時にシロップとケーキ。一時間後にパンチ酒とアイス・クリーム、十二時にハム・サンドかイギリス風ケーキ、それに温めたワイン。さらに一時には、紅茶、最後に、二時に夜食が出されるが、これはかなりボリュームのある食事である。

ロスチャイルド家の舞踏会のビュフェは豪華なものだった。とりわけ、ランの花をあしらった大きな氷の塊は、中から電気で照らされているので、まるで、妖精の国から出てきたファンタスティックな宝石のように見えた。

招待客たちは、こうしたビュフェをとりながら、しばしのあいだおしゃべりするのを舞踏会の大きな楽しみにしていた。舞踏会での会話は、はたで聞いている人間には、なんのことかわからぬほのめかしや、独特の言いまわしに満ちている。ルイーズは一生懸命耳を傾けるが、さっぱり意味はつかめない。

「わたしの見たところでは、ご婦人や殿方の大部分は、ある種の言葉を言ったり聞いたりするのが楽しくてたまらないといったようすでした。社交界にはおそろしくたくさんの謎があるのですが、そのたねを見つけるのは、ちょっとむずかしそうです」

エンマも同じように、近くのカップルの会話を盗み聞きする。サン＝ピエトロ寺院やヴェスヴィオス火山、カステルラマーレやカシーネ、ジェノヴァのバラや月下のコロセウム。こうした聞いたこともない固有名詞は、逆に、上流階級に対する彼女の憧れをかきたてる。さらに、エンマは、社交界の男女の秘密を目撃して、恋愛小説に書いてあることは本当だと思う。

「そばにいた婦人が扇を落とした。ひとりの男客が通りかかった。《わたしの扇を、すみません！　この長椅子の後ろなんですけど》とその婦人が言った。

紳士は身を屈めた。そして腕を伸ばしかけたとき、その若い婦人の手が紳士の帽子の中へ三角に折った白いものを投げ入れるのをエンマは見た。紳士は扇を拾ってうやうやしく婦人に差し出す。彼女は軽く頭をさげて花束を嗅ぎはじめた」（『ボヴァリー夫人』）

午前三時になると、たいてい最後のコチヨンかワルツが始まる。エンマはワルツが踊れないので遠慮していたが、皆から子爵と呼ばれているワルツの名手が、わたしがリードしてさしあげますといって誘いにきた。

「ふたりはゆるやかに踊りはじめ、やがてしだいに速度をました。ふたりがぐるぐるまわるにつれて、ランプも家具も壁板も床も、まわりのものがみな、軸をめぐってまわる円盤のようにまわった。ドアのそばを通るとき、エンマのドレスの裾が相手のズボンにまつわり、脚と脚がからみあった。彼の目はエンマを見下ろし、エンマの目は彼を見あげた。エンマは一瞬ふと気が遠くなってステップをとめたが、また踊りだすと、子爵はいっそう急テンポにエンマを引っぱり、廊下の端へふたりの姿は見えなくなった。エンマは息をはずませていまにも倒れんばかり、しばし男の胸に頭をあずけた。やがて子爵は前と変わらぬワルツを、しかしいくぶんゆっくり目に踊りながら、エンマをもとの席につれもどした。エンマは背を壁にのけぞらせて、片手で目をおさえた」

舞踏会のこのラスト・ダンスは、エンマの一生で一番幸福な思い出となる。夕方になるとこのワルツを思い出すのがエンマの日課と化す。そして、それと同時に、エンマは転落への道を歩み始めることになる。げに、恐ろしきは、舞踏会の思い出である。

第12章　オペラ座のボックス席

パリの舞踏会でファースト・ステップを踏んだルイーズ・ド・ショーリューは、一応、社交界へのデビューは果たしたことになるわけだが、社交界のダンディー連中の目から見たら、まだ、ひとりの小娘にしかすぎない。第一、その舞踏会にパリ社交界の全員がきているわけではないから、社交界に知られたといってもごく狭い範囲のことである。

したがって、ショーリュー公爵家の令嬢として「パリ」に認知されるには、やはり劇場、とりわけ、オペラ座とイタリア座に足を運ぶ必要がある。

「ルネさん、わたしが社交界の生活を始めてからもう二週間になります。一晩はイタリア座へ、一晩はオペラ座へ、そのあとはいつも舞踏会です。まったく、社交界は夢の世界で

す。イタリア歌劇の音楽はわたしをうっとりさせました」

イタリア歌劇の音楽にながいあいだ憧れていたルイーズにとって「音楽を聞き、芝居を見る」という観劇本来の目的ももちろん大切なのだが、それ以上に重要なのは、そこで観客から「見られる」ことである。つまり、社交界にデビューした名家の令嬢は、人々から注目されるために、こうした劇場に出かけなければならないのである。

ところで、いま、いきなりイタリア座やオペラ座で「見られる」という言葉を使ったが、この現象は、ヨーロッパの劇場の構造が頭に入っていなければ理解できないかもしれない。

ヨーロッパの劇場では、一階の椅子席（舞台近くがオルケストル〔オーケストラ〕、後ろがパルテールと呼ばれる）、二、三階の椅子席（バルコン）のほかに、舞台の両袖と、舞台正面にはロージュと呼ばれるボックス席があり、これが社交界の重要な出会いの場となっている。すなわち、このボックス席は、一種の個室で三、四人分の座席が用意され、仲間同士で軽い会話をかわしながら観劇を楽しめるようになっている。ボックス席は、階数、また舞台への遠近によって値段の開きがある。一番高級なのは、舞台の袖（アヴァン・セーヌ）にある二階ボックス席、それもカーテンのついたボックス席である。

王政復古から七月王政にかけての時代には、王立劇場であるフランス座のこのボックス席は王属専用の座席となっていたのに対し、オペラ座やイタリア座は、いわゆる第三セクター方式だったので、毎年、パリの社交界のトップが年間予約する恒例になっていた。このボックス席の次に高級なのは舞台正面にあるボックス席、そして三階舞台袖ボックス席である。パリの社交界で重きをなすには、最低このあたりのボックス席に年間予約席をもっていなければならない。

しかし、少しでも頭を巡らせば容易に理解できると思うが、こうしたボックス席は、舞台を見るのにはかならずしも適した場所ではない。むしろ、見にくい位置であるといったほうがいい。にもかかわらず、この席が高いのは、そこが、観客から「見られる」のにもっとも適した場所だからである。イタリア座やオペラ座では、社交界の貴婦人や令嬢は、教養のためにオペラを観劇すると同時に、そこにやってきた男たちから「観劇」されるという二重の役割を担っていたのである。

「わたしの魂が清らかな快楽のなかをただよっているあいだ、わたしは見つめられ、讃美されていたのです。でも、わたしがちょっと睨んだだけで、一番大胆な青年も目を伏せてしまいました。そこには魅力のある青年がたくさん集まっていました」

このように、オペラ座やイタリア座の高級なボックス席は、観劇のためというよりも、ボックス席同士の視線の交換のためにあるといっていい。オペラ・グラスは、舞台にではなく、新しい人間のあらわれたボックス席に向かって注がれる。

こうしてボックス席で満場の視線を浴びることに恍惚を感じるのは、なにも、社交界初登場の令嬢にだけかぎったことではない。

「ラスチニャックは、ド・ボーセアン夫人と一緒にイタリア座の正面ボックス席に入っていったとき、何かおとぎ話の国に現れたような気がした。子爵夫人と並んだラスチニャックは、自分があらゆるオペラ・グラスの的となっているのを感じた。それほど、子爵夫人の衣装は素晴らしかったのである。彼の足取りは魔法をかけられたようだった」（『ゴリオ爺さん』）

パリの社交界に初めて触れた野心家の青年ラスチニャックが、イタリア座のボックス席を「おとぎの国」と感じたのも無理はない。なぜなら、自分にオペラ・グラスを向ける相手もすべてボックス席にいる大貴族の夫人や令嬢だからである。

「ド・ボーセアン夫人が彼に言った。《ほら、ごらんなさいませ。ここから三つ目のボックス席にド・ニュッシンゲン男爵夫人がいらっしゃるわ。お姉さんのレストー伯爵夫人とド・トラーユ氏は反対側のボックス席ね》」

少し話はずれるが、ド・ボーセアン子爵夫人の席が正面ボックス席、ド・ニュッシンゲン男爵夫人とレストー伯爵夫人の席が正面から三つ左右に移動したボックス席という位置関係は、彼女たちの社交界での力関係を見事に示している。すなわち、ド・ボーセアン子爵夫人は、パリの社交界では、舞台の袖のボックス席を年間予約するほどの超一流の家柄ではないが、正面ボックス席に座る程度には一流である。

これに対し、ド・ニュッシンゲン男爵夫人とド・レストー伯爵夫人は、ゴリオ爺さんの

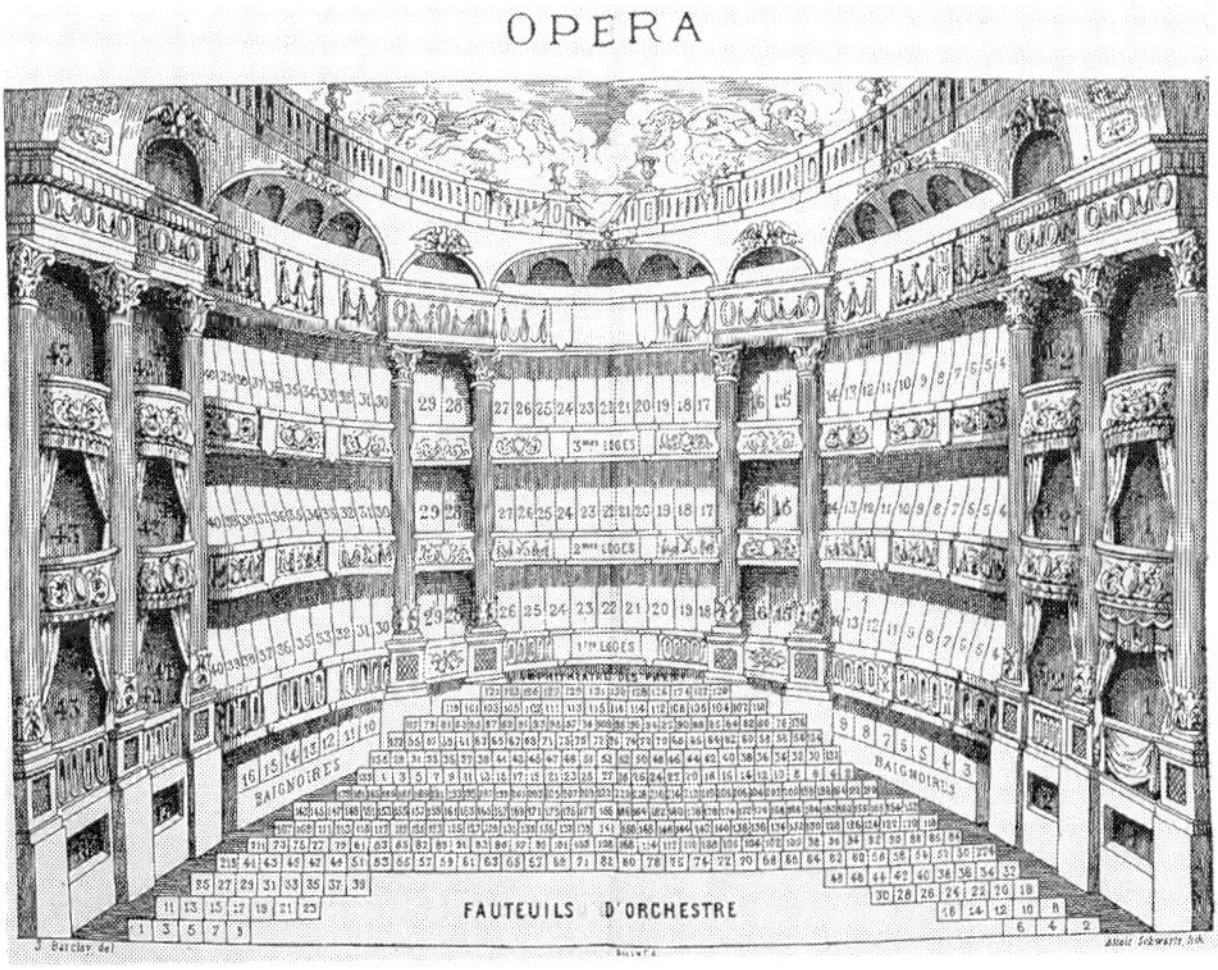

ボックス席で一番高いのは舞台の袖にある二階ボックス席。次に高級なのが正面の二階ボックス席。ボックス席は見られるための席。

娘なので、いかに貴族に嫁ごうと、しょせんは二流の貴族の占める正面左右のボックス席にしか陣取れないのである。

といっても、社交界に足を踏みいれたばかりのラスチニャックにはこうした力関係などわかろうはずはない。自分も、視線を受けたお返しとばかりに、美貌のド・ニュッシンゲン男爵夫人のボックス席へオペラ・グラスを向けて、ジロジロと夫人を見つめてしまう。するとすかさず、ド・ボーセアン夫人が次のようにたしなめる。

「そんな目つきであの人ばかり見つめていたら、たちまち噂になりますわよ、ラスチニャックさん。そんな人目にたつようなことをしたら、何をしても成功できませんことよ」

そうはいっても、いったん恋におちた男は、愛する女のいるボックス席からかたときも目を離すことはできない。いっぽう、ボックス席に陣取る女にとっては、レーザー・ビームのように自分の瞳を焦がすこの男の熱い視線こそが、社交界で生きるための心の糧となる。「自分は恋されている」という、この意識を確かなものにしてくれるのがこうしたボックス席なのである。ルイーズ・ド・ショーリューとても、この例外ではない。

「きのう、イタリア座で、わたしは自分が見つめられているのを感じました。わたしの眼は魔法にかけられたかのように、一階椅子席の暗い片隅で、二つの紅玉のように輝く火のような瞳にひきつけられました。エナレスはその視線をわたしの上から離しませんでした。あの怪物はわたしを見つめることのできる唯一の場所を捜し出し、そこに席をえたのです。

あのひとが政治的にどれほど力があるのかは知りません。でも恋にかけては天才です」

　ボックス席の女を見つめる熱に浮かされたような視線、そして、まるでミクトルが反転するかのように女から男に送り返される熱い眼差し。イタリア座やオペラ座では、舞台の上の歌劇とは別に、ボックス席とボックス席のあいだで、あるいはボックス席から一階席へとこうした視線のドラマが毎夜繰り返されているのだ。いいかえれば、一流の劇場のボックス席とは、観劇を口実にして、社交界の恋する男女が、お互いに恋人の視線の存在を確認しあう公然たる出会いと待ちあわせの場所なのである。

　だが、あまりに明白な視線の交換はド・ボーセアン夫人のいうようにたちまちスキャンダルとなる。だから、たとえ、前の晩あるいはその日の午前中に、ふたりのあいだにどのような決定的なことが起ころうと、それを他人に悟られるようなことがあってはならない。

「翌日、イタリア座で、あのひとは自分の席に来ていました。でも、立憲政体のスペインの総理大臣だったあのひとがいくらわたしをうかがっても、わたしの物腰から心の動揺がすこしでも洩れたとは思えません。前の晩、なにひとつ見もしなければ、受け取りもしなかった、わたしはそんな顔で押し通しました。わたしは自分で満足でしたが、あのひとはひどく悲しそうでした」

　このように、ボックス席での視線の会話は、実際の会話に劣らぬ深い意味をもつが、こうしてお互いの存在を確認しあえばしあうほど、その場で実際に言葉をかわしたいと思うのが人情というものである。そんなときには、男は、幕間に自分のボックス席を出て、「だれかに紹介される」という形をとって、恋人のボックス席に挨拶にやってくる。

「いま、あのひとにオペラ座で会ったところです。ルネさん、それはもう別人の感じです。あのひとはサルジニアの大使に紹介されて、わたしたちのボックス席にやってきました。この思い切り大胆な行動が決して悪くは取られなかった、それだけのことをわたしの眼差しの中に読みとると、あのひとは自分のからだを持てあましているといったようすに見えました。そして、デスパール侯爵夫人に《マドモワゼル》と呼びかけたりしたほどです」

ところで、この引用に出てくるデスパール侯爵夫人というのは、ルイーズの母親のド・ショーリュー公爵夫人の親友で、バルザックの『人間喜劇』では、社交界の花形として多くの作品に登場する。

たとえば、『幻滅』で、田舎からド・バルジュトン夫人と駆落ちしてきたばかりのリュシアン・ド・リュバンプレをオペラ座のボックス席でわざと皆の笑いものにする次の場面などは、いかにも社交界の女らしい彼女の性格がよく出ている。

「リュシアンはド・バルジュトン夫人のあとからついていった。ド・バルジュトン夫人は、オペラ座のひろい階段を上りながら、いとこのデスパール侯爵夫人に、さきほどから話にのぼっていたド・リュバンプレさんを紹介した。オペラ座の観客席は、舞台正面の左右に二つの区切りがしてあって、一等侍従官であるデスパール侯爵のボックス席はその一方に設けられていた。そこからは場内がすっかり見わたせるかわりに、こちらもどこからも見られていた。リュシアンはデスパール侯爵夫人の後ろの椅子に腰をおろした。ここなら、陰になると思ってほっとした。

《ド・リュバンプレさん》とデスパール侯爵夫人は愛想のいい口調でいった。《オペラ座にいらしたのは初めてでしょう。場内を眺めてみたらいかが。この椅子にお座りなさい。前のほうにいらっしゃい。わたしたち後ろでいいですから》」

リュシアンはまだなにも知らないので、デスパール侯爵夫人が自分を笑いものにしようとしているのを知らない。だが、リュシアンの愛人のド・バルジュトン夫人は、すぐにそれに気付く。だが、彼女は見えっ張りの性格なので、デスパール侯爵夫人に対して怒りを覚えるどころか、田舎者のリュシアンを連れてきたことを恥ずかしく思うようになる。やがて、幕間になり、パリ社交界を代表する四人のダンディーが新参のリュシアンとド・バルジュトン夫人を一目見ようと挨拶にやってくると、こうしたダンディーたちとリュシアンを比べてあまりのちがいに情けなくなってしまう。

ダンディーの中には、ルイーズの母親ド・ショーリュー公爵夫人の恋人カナリスやパリ一の美男子アンリ・ド・マルセーがいる。彼らは遠慮なく、リュシアンとド・バルジュトン夫人をじろじろと見つめる。

「ド・マルセーはリュシアンからわずか二歩ほどのところにいたにもかかわらず、わざわざ柄のついた眼鏡を手にとって彼を眺めた。その視線はリュシアンからド・バルジュトン夫人へ、ド・バルジュトン夫人からリュシアンへというようにふたりのあいだを往復しながら、なにか意地の悪い考えでふたりをつがいに見たてているようで、リュシアンもド・バルジュトン夫人もこれにはひどく心を傷つけられた。まるで珍獣でも眺めるように観察し、うす笑いを浮かべているのだ。そのうす笑いは、田舎の偉人にとって、短刀で心臓を一突きされるに等しかった」

そうしているところへ、今度は、田舎でド・バルジュトン夫人からすげなく扱われていた中年男のド・シャトレ男爵が入ってきて、リュシアンいびりに加わる。そこにいた四人のダンディーは、このド・シャトレ男爵をすっかり仲間扱いにしている。これを見たド・バルジュトン夫人は、それまでのリュシアンに対する激しい恋心などすっかり忘れ、にわかにド・シャトレ男爵を見直すようになる。そして、最後には、リュシアンの顔を見るのもいやになり、デスパール侯爵夫人の意見にしたがって、恋人をボックス席に置き去りにして帰ってしまうのである。いっぽう、リュシアンはそうとも知らず、オペラ座の場内を眺めながら野心を燃やす。

「彼はオペラ座の観客席でボックス席からボックス席へと視線を走らせ、パリ社交界を前にして、もの思いにふけった。《これが俺の王国だ！　俺はこの世界を征服しなければならないんだ！》と彼は心のうちで叫んだ！」

このように、イタリア座やオペラ座のボックス席というのは、パリ社交界の花形たちが、毎夜、恋のさやあてを演じる戦場のようなところなのであり、恋の成就も不首尾もすべてここでの決戦で決まってしまうのである。

第13章　仮装舞踏会

オペラ座は、ふだんはオペラやバレエの上演のために使われていたが、カーニヴァルの期間だけは、仮装舞踏会のために一般に公開されていた。これが、いわゆる「オペラ座の仮装舞踏会」である。

オペラ座の仮装舞踏会は、幼少のルイ十五世（ルイ十四世のひ孫）の摂政となったオルレアン公の許可を得て、シュヴァリエ・ド・ブイヨンが一七一六年に始めたものとされるが、オルレアン公の淫蕩な性格を反映したためか、開始早々に風紀が乱れ、一種の乱交パーティーの様相を呈するようになった。というのも、オルレアン公にならった貴族たちが、大胆な仮装に身をやつしているのをいいことに、男女の別なく、ここぞとばかりに快楽に

身をまかせたからである。お互いにまったく見知らぬ男女（ただし、ほとんどが貴族）が、カーニヴァルの興奮のうちに、相手がだれか知らぬまま一夜のちぎりを結ぶ仮装パーティーが十八世紀におけるオペラ座の仮装舞踏会の実態にほかならなかった。

こうしたオペラ座の仮装舞踏会は、大革命とともに終焉を迎えたが、一八一五年の王政復古によって、「旧態への復帰」の叫びとともに、他の制度や習慣と一緒に蘇ることとなった。ただ、いかに性道徳にはうるさくない貴族といえども、旧来のような淫蕩な仮装舞踏会を再開するのはさすがに気がひけたらしく、王政復古下におけるオペラ座の仮装舞踏会は、以前とは似ても似つかない地味なものへと変化した。

すなわち、淫蕩な雰囲気を作りだす原因が仮装にあると考えた主催者は、この仮装を廃止し、女性はドミノ服に顔の半分を隠すマスクだけの装束にとどめ、男性は、平服に素面というスタイルで統一することにした。さらに、ダンスは、騒々しいという理由でこれを廃止してしまった。したがって、オペラ座の「仮装舞踏会」は、「仮装」でも「舞踏会」でもなくなって、たんなる仮面パーティーと化したのである。

もっとも、そうはいっても、主役は相変わらず、恋のことしか考えないフランスの貴族

オペラ座の仮装舞踏会では平土間席を取り外して、数千人が一度にダンスのできる空間をつくりだした。これはミュザール以後のもの。

や大ブルジョワジーの殿方と奥方である。「仮装」と「舞踏会」がなくなっても、「仮面」が残っていれば、結果は十八世紀の仮装舞踏会とあまり変わらないことになる。なぜかといえば、貴婦人たちは、聖職者の頭巾付きのマントに似た黒いドミノ服を着てマスクを付けたその装束の、互いにほとんど見分けがつかないという利点を十分に利用して、素面の男たちを品定めしたり、声をかけたりして、普段ではとうていできないような大胆な恋の駆け引きをして楽しんだからである。

いっぽう、物色の対象となる男たちはといえば、オペラ座のホールやボックス席をうろうろと歩きまわって、女性から声をかけてもらうのを待つか、あるいはマスクの下になじみの女性を見分けるかどちらかをしなければならなくなった。いずれにしろ、通常の舞踏会とはことなって、女性が出会いの主導権を握れるということが、この仮面パーティーの人気の秘密だったのかもしれない。

女たちは、美男子が通りかかれば、みんなで声をあげて、ささやきかわした。バルザックの『浮かれ女盛衰記』の冒頭には、こうした情景がいきいきと描きだされている。

「一八二四年のオペラ座の最後の舞踏会で、マスクをつけた何人かの女たちは、廊下やホールを歩き回っているひとりの若者の美貌にはっと息を呑んだ。若者は、なにか思いがけない事情でボックス席に引き留められている女をさがしているといった様子をしていた。

(……)若いダンディーはこの気掛かりな人探しに夢中になっているのか、自分が女たちの人気をさらったことに気がつかなかった」

この美貌のダンディーは、オペラ座のボックス席で皆の笑いものにされたことのあるあのリュシアン・ド・リュバンプレである。自分を破滅させた社交界に復讐を果たすべく、謎のスペイン人神父カルロス・エレーラの後押しを受けて、パリのオペラ座にふたたび戻ってきたのである。

そのカルロス・エレーラ（じつはホモセクシュアルな脱獄犯ヴォートラン）は、「恋人」リュシアンの行動が気になるらしく、マスクとドミノ服を身につけて、あとを追いかけまわしているが、「パリでは希な例外をのぞくと、男たちはマスクをつけないし、ドミノ服を着た男はこっけいに見える」ので、この男の風体は異様な印象を与えたとバルザックは書いている。

ところで、このオペラ座の仮面パーティーには、入場料十フラン（一万円）を払えば、だれでも参加することができたので貴婦人たちに混じって高級娼婦も入り込んでいた。リュシアンが探していたのは、ほかならぬ、こうした高級娼婦のひとりエステル、通称「痺れエイ」だった。エステルはバルザックの『人間喜劇』の中でも最高の美女として描かれているが、その絶世の美女が、これまた最高の美男子である恋人のリュシアンと再会できた喜びでこの世のものとも思えぬ美しさに輝く次の場面は、やはりマスクとドミノという小道具があるからこそ印象的なものになっているのだろう。

「マスクの女はまるでリュシアンとふたりきりであるかのようにそこにいた。一万人の人人も埃だらけの重苦しい空気も存在していないようだった。(……)彼女は人々のひじ突きあいを感じていなかった。焔と燃えるその眼差しはマスクの二つの窩からほとばしりでて、リュシアンの瞳とひとつにむすばれていた。彼女の体の震えは、恋人の動きにいちいち連動しているようだった。恋する女のまわりに放射して、その女を他から区別するこうした焔はいったいどこからくるものなのだろうか。重力の法則を変えるかに思えるあの空気の精のような軽やかさはどこからくるのだろうか。魂が抜け出てきたのだろうか、それとも幸福には物理的な力のようなものがあるのだろうか。ドミノの陰から、処女のようなういういしさと幼子のような愛くるしさがおのずと漏れでていた」

だが、彼女の一瞬の至福も、マスクの下の素顔を見破ったやじ馬ビジウの「エステルだろう」という心ないひとことでもろくも崩れ去ってしまう。

「不幸な女は、自分の名が呼ばれた人のように、はっとして振りかえった。そして、そこに意地悪な男の姿を認めて、最後の息を引き取った重病人のように、がっくりと首をうなだれた。どっと甲高い笑い声がわきあがった」

おそらく、これは『人間喜劇』の中でも、もっとも残酷な瞬間といっていいだろう。王政復古下におけるオペラ座の仮面パーティーの雰囲気を強烈に印象づける一節である。

では、王政復古から七月王政の初めにかけての時期に、「仮面舞踏会」ではなく、文字通り「仮装舞踏会」と呼ばれるにふさわしい舞踏会はなかったのかといえば、もちろんそれはちゃんと存在していた。ただし、オペラ座ではなく、王族や大貴族の私邸、あるいは大使館で行われる舞踏会にそれは多かったようだ。

こうした私的な仮装舞踏会では、主催者のほうから仮装すべきひとつのテーマなりコンセプトが与えられるのが常だったから、招待客は、そのテーマやコンセプトに沿ってはいるが、それでいて人を驚かすような奇抜で大胆な仮装がないものかとさかんに知恵をしぼった。というのも、仮装舞踏会は、招待客の歴史的な知識やセンス、それに想像力の豊かさを試すための一種のテストのようなものだったので、招待された側も気軽な気持ちでは応じられなかったのである。

仮装舞踏会とあるのに、平服で出掛けた場合は、どんな政府高官だろうと門前払を食わされるものと覚悟しなければならなかった。

それに、こうした仮装舞踏会の様子は、新聞の社交欄でかならず取り上げられたので、目立ちたがり屋の社交人士としてはおのずと張り切らざるをえなかった。

少し時代は下るが、一八四四年の二月十九日に開催されたメルラン伯爵夫人の仮装舞踏会は、『プレス』紙の「パリ通信」で次のように描写されている。

「メルラン夫人は宝石の縫い取りのある素晴らしいギリシャ風衣装を身に纏い、Gr侯爵夫人は本物のペルシャ装束をオリエント風にエレガントに着こなしている。サモイロフ伯爵夫人はルイ十四世の時代の狩りの衣装に身をくるんでいるが、そのフェルトのつばひろ帽は彼女の美しい髪の豊かな波立ちを覆いかくすにはいたっていない。ふたりの若いイギリス娘は、それぞれ《昼》と《夜》をあらわす工夫をしている。《黎明》の方が真っ白なロング・ドレスに金のスパンコールをあしらって朝日をあらわすいっぽう、《夜》の方は黒のデシンで銀の無数の星を覆いかくすようにして、しずしずと悲しげに歩いている」

引用の最後の部分から想像がつくように、仮装舞踏会においては、「昼」や「夜」といった名詞や観念を衣装で表現するという課題を課せられることがある。これは、中世のキリスト教の寓意劇《アレゴリー》の流れを汲む風習で、形のない抽象的なものに視覚的・人格的な表象を与えようとするヨーロッパ文化の一側面を示している。

とはいえ、いったん課題を与えられたら、紋切り型の解釈でお茶を濁すわけにはいかず、しかも、最新の文化的流行を取り入れなければならないので、招待客にとってはユニークな仮装を考えだすことはたいへんな作業だった。

だが、なかには、あえて、むずかしい「観念」に挑む者もいる。「愛」に扮した若者の装束はこんなふうに描かれている。

「衣服は紺碧のチュニック、頭には、髪粉をふったかつらと薔薇の冠。同じく薔薇の花輪をネッカチーフにして、ふたつの薔薇の玉房を口髭にしている。さらに、苦悶のしるしとして、顔の歪みをこれにくわえている」

「パリ通信」の筆者であるロネー子爵によると、この「苦悶のしるしとしての顔の歪み」は、ラトゥーシュの最近の詩「人呼んで愛という苦しみの欲望」を解釈したものだそうである。こうなると、仮装はたんなる楽しみの域を越えて、文学芸術をいかに理解し、想像力をどのように働かせるかの問題となってくる。

だから、現実に存在するものをリアリズムでもって正確に再現するだけでは、むしろ野暮の骨頂とみなされてしまう。たとえば、インドの酋長に扮して「野蛮」を表現したつもりになっているふたりの男に対しては、ロネー子爵の筆はかなり手厳しい。

「彼らの衣装をみんなが誉めている。そっくりだという声が聞こえる。われわれもそう信じたい。だが、実際には、目の肥えた人がほとんどいないからにすぎない。その美しい衣装なるものは、地肌に黄色の麻布を細かくちぎったものを張り付け、それに灰色の羽根を立てたものからなっているが、こんなことをしなくとも、たとえば古い羽根箒とリネンのリボンだけでもこの貴重なインドの生地の柔らかさをまねることができるだろう。また飾りとして、魚の骨、犬の骨、サイの角、鷹の爪、鷲の嘴、虎の牙、フカの顎、ワニの歯などがぶらさげてあるが、これらは美しいとはいいがたい。こうした珍品などよりも、粗末なダイヤでもちりばめておくほうがどれほど効果的かわからない」

ロネー子爵が仮装についていっていることの意味がおわかりだろうか。つまり、なにかをまねるのでもそのままそっくりというのは芸がない。同じ仮装でも、それを見た人が想像力を働かせるような余地のある仮装でなければならず、また、仮装の衣装それ自体が美しくなければ意味がないというのである。

ようするに、なによりもまず美しく、かつ人の意表をつくというファッションの基本が、仮装においてもまた踏襲されているのである。その点は、参考図版に掲げた『ラ・モード』の仮装舞踏会用衣装のイラストをご覧になれば、一目瞭然だろう。

なお、この『ラ・モード』の編集長のエミール・ド・ジラルダンという人物は、やがてデルフィーヌ・ゲーという女性詩人と結婚し、創刊した日刊紙『プレス』の「パリ通信」のコーナーを妻に任せるようになる。ロネー子爵とはこのデルフィーヌ・ド・ジラルダンのペンネームなのである。

ところで、オペラ座の舞踏会の例があるので、仮装舞踏会と銘打っていても、本当にダンスは行われていたのだろうかと疑問に思うむきがありそうなので、あらかじめお答えしておくが、もちろん、ダンスはあった。しかも、ちゃんと仮装した招待客が激しいポルカやカドリールを踊っていたのである。

当時はパリでも、カーニヴァルが盛んで、年明けとともに社交界の話題は仮装一色になった。ペルシャ神話の妖精に扮したもの。

荷揚げ人足を模したカーニヴァルの定番の仮装を白のサテン地に赤の條とリボンで上品に表現している。肩と足がエロティック。

同じく荷揚げ人足風の仮装ながら、こちらはスコットランド兵の格子柄で統一して、黒のリボンを締めに使ったところがポイント。

この年の仮装の流行色は赤と黒だが、かといって『赤と黒』の反映を見るのは早計。だが、この仮装、いかにもマチルドに似合いそう。

仮装はその衣装ひとつひとつが言語のように解読されるべき意味をもっている。この衣装は当時の芝居の中世風のヒロインを模したもの。

ロシア風のプリーツを取り入れたウィーン・ファッションの紹介。
サテンの裏地の赤と黒貂の取りあわせがいかにも北国らしい。

同じくロシア風のプリーツの男性用コート。「ラ・モード」にはバルザックも「優雅な生活論」を寄稿していて男性の読者も多かった。

夜会のためのドレスの特徴はデコルテになっていること、髪は花飾りかリボンで纏めることなど。扇子は舞踏会の手帖の代わりをする。

舞踏会の決め手のひとつは首から肩にかけてのなだらかな線を殿方にいかに見せつけるかである。その点、このドレスは効果満点である。

晩餐用のファッション。畝織り木綿のスカートに胸ぐりのない胴衣というスタイルから見て、若い娘の服装なのだろう。花が可憐。

オペラ座などのボックス席での観劇用の落ち着いたファッション。
絹レースの縁取りが、エルボー地方風のボネにマッチしている。

La Mode
Chapeaux anglais — Redingotte à petit revers et Collet de drap
Pantalons de casimir — Chapeau de satin orné d'un chou de fleurs
des Magasins de Mme Hocquet, rue Ventadour, 11 — Robe de soie —
Brodequins de prunelle.

夏が終わると、パリは夜会や晩餐会のための男女の外出着がいっせいに発表される。これなど奇をてらわない定番のファッションである。

秋は若い娘が舞踏会にデビューする季節。清楚でなおかつ男性の目を惹くファッションを、というのが、常にかわらぬ母の注文である。

晩餐会では動く必要がないので、被りものに工夫が凝らされる。特に花はその女性の性格を示すものとして、大切な記号表現となる。

La Mode
Gravé d'après Gavarni par Nargeot.
Coiffure par Mr. Normandin, passage Choiseul. - Robe de Crêpe garni de Blonde de chez Mme. Alexandre, rue Royale, 8 - Berret de Crêpe de chez Mlle. Rocquet, rue Vantadour, 11.

秋には晩餐、観劇、夜会、舞踏会と行事が目白押しだが、コンサートも大切な社交の一つ。髪にあしらっているのはアザミだろうか。

La Mode.
T. 4.
Toilette du soir
Pl. 66.
Chapeau gris poil ras – Habit de drap – Gilet de piqué – Pantalon de coutil anglais.
Souliers de cuir verni.

19世紀の男性服は、イギリスの影響で、モーツァルトの時代のような華美さは影を潜め、こうした燕尾服が主流となった。

カーニヴァルの頃には大人のオペラ座の舞踏会とは別に、子供たちの仮装舞踏会も開かれた。子供が大人の顔をしているのが無気味。

「真夜中ごろ、突如、ファンファーレが鳴り響いて、ルイ十三世時代の狩人の仮装をした人たちがホールでカドリールを踊り始めた。このカドリールはみなに誉められたが、その評価は正当だった」

この夜の仮装舞踏会には、たいへんな余興が用意されていた。オペラ座のプリマ・ドンナ、カルロッタ・グリジが姿を見せたのである。ホールの中央でバレエを踊る彼女を見ようと、みんな椅子を車座に並べた。カルロッタ・グリジは、オペラ座で見るよりもはるかに美しかった。彼女がタランテラを優美に踊ると、みな熱狂的に拍手をおくった。

舞踏会は、招待客全員でポルカを踊ってお開きになった。この夜の仮装舞踏会は招待客の記憶のみならず、パリの夜の歴史に名を残すものとなった。

仮装舞踏会とは、ある意味で、きわめて芸術的なイヴェントでもあったのである。

第14章　ミュザールのオペラ座仮装舞踏会

一八三三年の冬、オペラ座の支配人で、以前は医者をしていたこともあるヴェロン博士は、この年のオペラ座の仮装舞踏会が非常に不入りだったことで頭を悩ませていた。仮装舞踏会といっても、仮装しているのは女だけで、しかもその仮装は地味なドミノ服にマスクにすぎず、男は素面、しかもダンスはなしという条件なのに料金は十フラン（一万円）というのでは、客が寄りつかなくなるのも当然だった。だが、彼としては、オペラ座の品位を汚すような妥協は避けたかったので、思い切った改革は打ちだすことができないでいた。

そこで、ヴェロン博士は、カーニヴァルの時期のオペラ座の舞踏会の権利を、ミラとい

う男に四年で一万二千フランの契約で譲り渡すことにした。ただし、その条件として、料金の十フランと、ダンスは厳禁という規則は遵守することを約束させた。

ミラは、この制約の中で、できるかぎり参加者増加につながる方法を工夫しようとした。まず、オーケストラの団員を四十人から七十人に増やして音楽を迫力のあるものにする。さらに、オーケストラの指揮者としてヴァリエテ座で大人気を博していたミュザールを引き抜き、舞台の上で、動物変身ものの奇想の画家グランヴィルの風刺画そっくりの仮装舞踏会をオペラ座のバレリーナたちに演じさせることにした。こうした改革は大当たりして、一八三三年には二万二千フランにすぎなかった入場収入は翌年には十五万フランにまで増加した。

だが、ミラはこんなことでは満足するような男ではなかったので、一八三五年にオペラ座の支配人がヴェロン博士からデュポンシェルに代わると、粘り強く交渉して、ついに自分の思い通りの条件を引き出すことに成功した。すなわち、入場料金を五フランに引き下げると同時に、ダンスを全面的に解禁したのである。

一八三七年二月六日、パリの壁という壁に、次のようなポスターが張り巡らされた。

「二月七日の肉食火曜日《マルディ・グラ》。オペラ座にて、ミュザールの大舞踏会。入場料五フラン」

こうして、パリジャンならだれでも参加できるあの伝説的な「ミュザールのオペラ座仮装舞踏会」の幕が切って落とされたのである。

実際、肉食火曜日、すなわちカーニヴァル最終日のマルディ・グラの日のオペラ座では、すさまじいばかりの熱狂と興奮が渦を巻いていた。椅子がすべて撤去された平土間席の床に可動式の床板が張り巡らされ、その上で、二千人、あるいは三千人いるかしれない群衆たちが、激しいダンスのリズムに身をゆだねていた。

しかも、その全員が、ありとあらゆる色彩の仮装に身をくるんでいるのだから、その変化は目を疑わしめるものがあった。過去の歴史上の人物に扮した者がいるかと思えば、エキゾチックな外国の衣装をまとった者もいる。かと思えば、動物の縫いぐるみで全身を覆っている者さえ見かける。男も、女も、老いも若きも、金持ちも、貧乏人も、だれもかれもが、できるかぎり風変わりな仮装に身をやつして、集まってきたのだった。アメリカ人の医学生ウィトマーは、このオペラ座の仮装舞踏会の様子を次のように描写している。

「いまや、巨大な群衆たちは、なんとも粗野でとてつもない動きでカドリーユを踊っている。跳びはねるかと思えば、獣のように四つ足で床をはいまわったり、膝で歩いている。

ときどき、わざとぶつかられたり押されたりして、十数人の男女が床に寝転がっては、笑い、叫び、転げ回っている。突如、音楽が変わる。するとギャロップが始まり、ダンスは次第にスピードを増して最後には、会場をぐるぐると回るだけになる。その渦の中では、もはやリズムや調子などといったものは無視されてしまう。皆、他の者たちに負けないようにということしか頭にない。ダンスはポルカ、ワルツ、マズルカなど様々に変化する」（ベルティエ・ド・ソヴィニー編『アメリカ人旅行者の見たフランスとフランス人　一八一四－四八』の引用より）

こうした激しいダンス・ミュージックを指揮しているのが、ナポレオン・ミュザールとあだ名された名物指揮者フィリップ・ミュザールである。

ミュザールは一七九二年にトゥールで生まれ、パリに出てコンセルヴァトワールで作曲と指揮を学んだが、作曲した曲がさっぱり注目を集めず、出版した音楽教育法の本も売れなかったので、ダンス・ホールの指揮者として糊口をしのぐうち、ヴァリエテ座の指揮者に抜擢され、出世の糸口をつかんだのである。ミュザールは、オペラ座の仮装舞踏会におけるその熱狂的なジェスチャーによる指揮振りで人気を集め、七月王政下における最高の有名人のひとりとなった。ミュザールの出現とともに、パリは空前のダンス熱につつまれ、だれもが、カーニヴァルのオペラ座の仮装舞踏会を、ちょうど今日のリオのカーニヴァルのように心待ちにして、仮装にあれやこれやと工夫を凝らすようになった。なかでも、仮装に心を砕いたのは女たちだった。

「仮装した女たちの中には、男の装束を身にまとったものが大勢（まちがいなく三分の一

ミュザールが指揮者になってからのオペラ座の仮装舞踏会は、入場料が五フランだったので学生やお針子もつめかけて大混乱になった。

は）いた。水夫、スコットランド人、スイス人、宮廷のペイジ・ボーイなどなどである。こうして姿形が変わると、その性格もまた変わってしまうらしく、仮装した女たちはなんとも大胆で、気が狂ったのではと思うほど淫らな振るまいをする」

おまけに、このミュザールの仮装舞踏会におけるエチケットというものは、これと狙いをつけた相手が踊っていようといまいと、だれかれとなく抱きついていいというものだったからたまらない。仮装で、だれがだれだかわからないということが、平常の理性を失わせる。

「白熊に扮した男は、すっかり白熊になりきったように、口を大きくあけてホールの中をぐるぐると歩き回り、劣情を刺激するような女を見つけると、ほとんど動物と同じような乱暴さで女たちを抱き締める」

こうした調子で、あちこちに即席の仮装カップルができあがり、こちらにはひざ枕で語りあっている恋人たちがいるかと思えば、あちらには抱きあってキスしあっているカップルもいる。女たちの剝きだしのうなじは、ほとんど公共の財産という感じで、男たちは、好きなようにキスの嵐を浴びせている。

では、いったい、このミュザールの仮装舞踏会に参加したのはどんな人間たちかといえば、男の大半は、『ゴリオ爺さん』に出てくるラスチニャックのような、パリ大学の法学部と医学部の大学生たちだった。普段は気後れから若い女の子に話しかけられない彼らも、内気さの埋めあわせをするかのように、仮装に隠れて大胆な振る舞いに及んだ。

しかし、男たちがいくらこの機会を利用しようと思っていても、もし女たちが仮装してきていなかったら舞踏会は成立しないわけだが、そこはそれ、本来的に色恋の好きなラテン民族の血は、女たちにも流れている。女たちも、同じような下心をもって会場に集まってきたのである。

ただ、貴族や大ブルジョワの邸宅で行われた仮装舞踏会とちがって、その女たちの階層は千差万別だった。引用した証言を残したアメリカ人の医学生ウィトマーは、この舞踏会で四人の女と知り合ったが、その女たちはいずれもちがう階級に属しているようだった。

最初の女は、灰色の粗末な服を着ていたことからその名前がついたグリゼットと呼ばれるお針子のひとりだった。彼女は、さっき踊ったパートナーにブレスレットを掠め取られたと嘆いていたが、ウィトマーが頼むと気安く住所を教えてくれた。

二番目の女はブロンドで、とてつもなく風変わりな格好をしていた。ウィトマーが話しかけると、わたしはあなたのお国のことはよく知っていると流暢な英語で答え、ウィトマーをまごつかせた。

三番目の女は、いとも簡単に住所を教えてくれたが、今夜はこれから帰らなければならないといって辻馬車代をねだった。だが、それから二時間後、ウィトマーは彼女が会場でまだ踊っている姿を目撃した。プロの女だったのだろう。

四人目は、あきらかに上流階級の女と思われる格好をしていたが、ウィトマーがいくら誘いをかけても、ただ「わたしは天使よ。だから住所は天国」とだけしか答えてくれなかった。

このように、ミュザールの仮装舞踏会は、上から下まで、仮装に紛れておおいに楽しもうと割り切った考えをした女たちでいっぱいだったのである。いまの日本でなら、ディスコの風景などから容易に想像もつくが、フランスでは、百五十年も前からこの調子だったのだから、やはり、あちらは「進んでいた」というほかはない。

第15章　持参金なしで結婚する方法

さて、この本の目的が、現代の読者を十九世紀の舞踏会へと招待することだったとはいえ、いつしか細部の解説に熱が入って、我らがヒロインのルイーズ・ド・ショーリューについて語るのを忘れ、彼女の社交生活をしばらくのあいだなおざりにしてしまったようだ。おかげで、ルイーズ・ド・ショーリューはその後どうなったのか、幸せな結婚ができたのかどうか知りたい、ここまできたら、彼女の運命を最後まで見届けたいという読者からの声がちらほらと聞こえてくるようになった。

そこで、最後の二章では、ルイーズ・ド・ショーリューが結婚にこぎつけるまでの経緯をお話ししつつ、これをひとつのケース・スタディとして、十九世紀フランス貴族の結婚

の実態に迫ってみることにしよう。

舞踏会でファースト・ステップを踏み、パリの社交界にデビューしたルイーズ・ド・ショーリューが、オペラ座やイタリア座のボックス席でひとりの男の燃えるような視線にさらされたところまではすでにお話ししたとおりだが、この男の素性についてはあえて語らずにきた。それというのも、舞踏会や社交生活一般を浮き彫りにするには、恋人を特定しないほうが賢明と判断したためである。だが、ルイーズの結婚を話題にするとあらば、相手がだれであるかを明かさぬわけにはいくまい。

ルイーズ・ド・ショーリューに対して、シャン＝ゼリゼやオペラ座で熱い眼差しを向けていたエナレスという男、じつは、スペイン王国で総理大臣をつとめたこともある大貴族ソリア公爵だった。ソリア公爵は、スペインの民主化革命のさい立憲政体の総理大臣をつとめたことがのちに国王フェルディナンの怒りを買い、公職と爵位を剝奪されたうえに全財産を没収され、フランスへの亡命を余儀なくされたのである。幸い、サルジニアのマキュメールに男爵領をもっていたので、暮しには困らなかったが、パリでは身分を偽るためにドン・フェリーペ・エナレスと名乗り、謝礼金一回三フランでスペイン語の家庭教師をつとめていた。ルイーズ・ド・ショーリューと知り合ったのも、彼女の家にスペイン語を教えにきたのがきっかけだった。ルイーズは社交界で会う貴族の若者たちがみな馬鹿に見えてしかたがないときだったので、レッスンを受けながら、遠い祖先にアラビア人（アバンセラージュ）の血の混っているこの醜い容貌の男の、底知れぬ情熱をひめた瞳に強く惹きつけられるものを感じた。

「パパはこのエナレスのなかにはたぶんに貴公子的なものがあると言って、わたしたちだけのあいだでは、面白半分にドン・エナレスと呼んでいます。二、三日前わたしが思い切ってそう呼びかけてみたら、このひとは、ふだんは伏せている眼をあげて、キラリとした二つの視線を投げかけたので、わたしはまごまごしてしまいました。ルネさん、たしかにこのひとの眼は世界中で一番美しい眼です」

ルイーズはレッスンのあいだじゅう、注意深くエナレスを観察した。はじめは四十ぐらいの中年男かと思っていたが、それはおのずと身にそなわった大臣の威厳がそう感じさせただけであって、実際は二十六か、せいぜい二十八の若者だった。興味を感じたルイーズはなぜスペイン語の家庭教師をしているのか、政治的な理由がからんでいるのだったら、父の影響力を行使できるかもしれないともちかけてみた。しかしエナレスが尊大な態度を崩さないので、少し言葉で挑発してやりたくなった。

「エナレスがまた例のおそるべき眼を向けたので、わたしは自分の眼を伏せました。ルネ

イタリア座の内部。求愛しようとする男たちの熱い視線がボックス席の令嬢や貴婦人の頬を焦がす。劇場は視線の戦場だった。

さん、このひとは解きがたい一つの謎です。わたしの言葉がはたして意思表示であるかいなかを問いたげなようすでした。その視線のなかには、幸福と、誇りと、不確かさからくる苦悩とがあらわれており、それが、わたしの心をしめつけました」

　修道院にいてロマンチックな夢想に身をゆだねてきたルイーズにとって、夢想を現実のものとするには、エナレスの黒い瞳だけで十分だった。社交界の知り合いからエナレスが亡命中のソリア公爵だと教えられると、恋心はいやがうえにも高まって、修道院から出てきたばかりの乙女とも思えぬようなコケットリーを発揮して、エナレスの心を蕩かすようなそぶりを見せ始めた。

　はじめは貴族の小娘の気まぐれと相手にしなかったエナレスも、ルイーズ・ド・ショーリューの可憐な瞳に射すくめられると、にわかに情熱的なスペイン人の血が騒いだ。自制心から家庭教師を辞しはしたが、もはや、オペラ座の平土間からボックス席のルイーズに燃えるような視線を送ることを我慢することはできなかった。

　いっぽう、ルイーズはといえば、こちらは乙女とはいえ、れっきとしたフランス女。生まれながらの恋愛のプロである。政治には百戦錬磨のエナレスも、恋愛ではまったくのアマチュアだった。たちまち恋する男という弱い立場に追いやられ、全面降伏状たるラブ・レターをしたためざるをえなかった。

「あなたはわたしを召使として受け入れてくださるでしょうか、ぜひお伺いしたいと存じます。(……)お願いです。ある夜イタリア座で、白い椿と赤い椿を組み合わせた花束を手に持って意中をお明かしくださいませ、それは色白き乙女を慕ってその膝下にひざまずく男の全身の血を象徴しております」

この芝居っ気たっぷりの返事のしかたは、恋愛はドラマティックでなければならないと考えているルイーズには気に入った。だが、彼女は、いつのまにか、恋愛もまたひとつの商取引であることをよく知っている恋愛のベテランになっていた。

「わたしは白のドレスを着、白い椿を髪にさし、一輪の白椿を手に持ちました。ママは赤いのを持っています。ほしくなったらママから一輪取りあげるつもりです。少しばかり躊躇して例の赤い椿をあのひとに高く売りつけよう、どたんばまで決心するのを延ばしておこう、わたしはなんだかしきりにそんな気持ちにそそられます」

いやはや、もうこうなったら、ルイーズは、恋愛ゲームの練達のプレーヤーである母親のド・ショーリュー公爵夫人にさえ負けない立派な社交界の貴婦人というほかない。

「わたしが白い椿を手にしているのを見て、あのひとは頸を垂れました。あのひとが見るうちに花のように白くなったとき、わたしはママの手から一輪の赤い椿をとりあげました。最初からひとつの花を持って来れば、それは偶然の出来事だと思われたかも知れません。しかしこのしぐさは明らかな返答でした。わたしはとうとう告白をしてしまったのです」

ところで、娘がボックス席でこんな恋のやりとりをしているのを、隣にいるその道の大ベテランの母親が見のがすはずはなかった。というよりも、母親は、もうとっくにすべてを知っていたのだ。そして、そのうえで、黙認を与えていたのである。娘の恋心がいじらしいから？　とんでもない。何度もいうように、パリの社交界では、娘はあくまで売り物の商品であって、その商品が恋愛をするなどということは絶対に許されないのだ。では、いったい、なぜ、母は娘の暴走をゆるしたのか？　なんのことはない、娘に最高の買い手がついたからである。

❦

バルザックの時代に女性の結婚があれほどに文学の主題となったのは、第5章で述べたように、持参金というものが、今日では信じられないくらいのとてつもない重要性をもっていたからである。結婚とは、結局のところ、持参金のことだったといっても決していいすぎではない。そのため、結婚後の妻の立場は、持参金の高低と完全に連動していた。持参金が多ければ多いほど、妻は夫に対して有利なポジションを保ち、その分、独立した生活を営むことができた。もちろん、結婚後の「恋愛の自由」もそのうちに含まれる。

したがって、娘にできるだけ多く持参金をつけてやりたいと思うのが親心だが、その反面、持参金が少なくてすむような結婚であってくれればと願うのも、また当然のことである。革命や亡命で財産の多くを失った貴族の家庭では、とりわけその傾向が強かった。しかも、ナポレオンの民法典が定まった後の社会では、もうひとつ別のやっかいな問題がこれに加わっていた。

問題は、世襲財産の相続において長子相続が基本だったアンシャン・レジームとことなって、ナポレオンの民法典では、長子以外の、女子を含む嫡子も同等の相続の権利をもつと規定されたことにある。この一見、女子にとっては有利と思えた相続法は逆に、一部の家庭、とりわけ、世襲財産の分割を防ぎたいと望む貴族の家庭においては、女子から結婚の機会を奪う結果となった。どうしてそのようなことになるか、仕組みをお話ししよう。

この時代の貴族の財産というものは、土地（農地）およびそこからの農業収入（地代を含む）、それに銀行預金・国債等の動産を元手に設定した年金などからなる。ところで、親が娘をしかるべき地位と財産をもつ貴族の息子に嫁がせたいと願ったら、結婚契約時に、持参金として、財産を分与しなければならないが、こうした形で資産を分割してしまうと、大きなまとまった世襲財産を元手にして資産を増やし、それを男子、とりわけ長子に与える道が閉ざされることになる。

では、これを防ぐにはどうすればいいかといえば、方法はふたつにかぎられる。

ひとつは、持参金なしという条件を承諾し、自分の財産を妻に分与してくれるような婿を見つけることである。もちろん、そうした婿は、身分が高く財産もあるような家にはいないから、選択は必然的に、身分は低いが財産はあるブルジョワか、あるいは、身分も財産もあるがルックス面ではまったく魅力のない男か老人かということになる。ルイーズ・ド・ショーリューの手紙の交換相手ルネ・ド・モーコンブは後者の選択肢を選んだわけである。

「男爵はご子息の顔を見ると、ただもう結婚させること、貴族の娘と結婚させること、そればかりしか考えませんでした。隣りの老人がルネ・ド・モーコンブを持参金なしで貰い受け、遺産相続のさい、右のルネのものとなるべき金額は、契約書によってあらかじめ定めておくという案をもちだしたとき、パパとママはわたしのためを思ってその考えを承諾いたしました。わたしの弟のジャン・ド・モーコンブは、丁年に達するや否や、両親から相続額の三分の一に相当する財産を前払いで受け取ったことを認知したのです。プロヴァンス地方の貴族たちはこのようにしてブオナパルテ閣下の呪わしい民法の裏をくぐっております。この民法にしたがえば、貴族の娘たちは、お嫁にゆくひとの数と同じくらい、修道院入りをしなければならないのです」

このルネ・ド・モーコンブの報告の最後には、もうひとつの選択肢が示されている。すなわち、娘に結婚をあきらめさせ、財産分与の権利を放棄させたうえで、修道院に入れてしまうことである。なんとも残酷な方法だが、現実に多くの貴族の家庭で、この方法が取られていた。ほかならぬルイーズ・ド・ショーリューが修道院に入れられたのも、まさにこのためだったのである。

ショーリュー公爵家は、フランスでも最高位の貴族に属し、所有財産も決して少なくはなかったのだが、いますぐ娘に持参金をつけてやるにはいくつかの困難があった。亡命貴族の財産補償の法令がまだ出ていないということ、それと、もうひとつ、ルイーズに祖母から与えられた財産がさらなる利子を生むには時間がかかるということである。これについては、直接、ルイーズの父の口から話してもらうことにしよう。

「お前のお祖母さまはお前に五十万フラン（約五億円）残してくださった。お祖母さまはこれだけせっせとお貯めになったのだ。自分の家族から一かけらの土地でもへらしたくないというおつもりだったのさ。その金額はそっくり原簿に載っている。利子がつもりつもって、今日ではおよそ四万フラン（四千万円）の年金があるわけだ。その金額を、わたしは、引きつづきお前の兄の財産をこさえるために使うつもりだった。その計画も、お前が帰って来たので、どうやら駄目になりそうだ。が、いずれそのうちに、お前にも協力してもらうよ」

ルイーズは、そんな計画が両親にあったとは知らずに、親友のルネ・ド・モーコンブが修道院を出てしまったのが寂しくてたまらず、これ以上修道院にいたら病気になって死んでしまうと訴えて、ついにパリに戻ることができたのだったが、そのために、親たちの考えていた財産計画は水泡に帰することになった。そこで、両親は、しかたなく方針を転換して、もうひとつの方法に拠ることにしたのである。

「お前が勝手に自分の針路を変更したのは、いささか困りものだが、社交界で成功してくれる楽しみを思えば、それも帳消しになるだろうよ」

「社交界で成功する」というのは、具体的にはなにを意味するかといえば、持参金なしでも嫁にもらいたいと申し出るような相手があらわれてくるように、社交界で魅力をふりまくことである。花嫁のルックスと持参金は反比例つまり「ルックス×持参金＝1」の関係にあるから、娘が洗練されて、社交界の花形となって、男の気持ちを強くとらえることができたならば、それだけ持参金の額が減ることになる。母親のショーリュー公爵夫人が娘を磨きあげることに力を入れ、舞踏会やオペラ座にかならず連れていったのは、すべて、この反比例式の計算に基づいていたのだ。

ルイーズ・ド・ショーリューは非常に頭の回転のはやい娘だったので、すぐに親の提案を受け入れた。しかし、おあつらえむきの年よりの貴族院議員などはおいそれとはあらわれなかった。そのうちに、ルイーズはエナレスと恋に落ちた。しかし、ルイーズが、さきほど話したような決定的な一歩を踏み出す決心をしたのは、イタリア座で、ある外交官とエナレス（マキュメール男爵）についての次のような会話をかわしてからのことである。

「多少の面倒はありましたが、サルジニア国王はマキュメール男爵に旅券を下付されました」

と若い外交官はつづけました。

「が、要するに、あのひとはサルジニアの臣民になったわけです。そしてサルジニアに上級および下級裁判権を認められたすばらしい領地を持っていられます。もしフェルディナン七世が亡くなれば、マキュメールはおそらく外交界に身を投じ、ーリノの宮廷はかれを大臣に任命すると見られています。若いながらも、あのひとは……」

「あら！　若いんですの、あのひと！」

「そうです、お嬢さん……若いながらも、あのひとはスペイン一流の人物なのです」

偶然であったとはいえ、ルイーズ・ド・ショーリューは、まさに親の望んだような相手を見つけていたわけである。この会話を横で聞いていた母親のショーリュー公爵夫人は娘にこうささやいた。

「まあ！　すみにおけない子だこと！」

実際、ルイーズというのはなかなかすみにおけない子で、自分の恋を親の意向にぴたり合わせるというほとんど奇跡に近いことをやってのけようとしているのだ。

だから、家庭教師のエナレスがマキュメール男爵となって自信を回復したようなそぶりを示すと、とたんに反発し、彼をあくまで忠実な僕、奴隷の地位に押し止どめようとする。なぜなら、もし、エナレスが、対等の立場でルイーズを愛するようになったら、「持参金なしでの結婚」という親のプランはふいになり、その当然の結果として自分の恋も立ち消えになってしまうからだ。そこで、ルイーズは、ある大使が彼女を持参金なしで息子の嫁にしたがっているという噂を自分で流し、これによってエナレスの心を試すという高等戦術に出たのである。ルイーズはバルコニーのところに忍んできたエナレスにこういった。


「それでは、もしこの結婚が避けがたいもので、わたしがいやいやながら嫁ぐ覚悟をしたら……」(……)

「アラビア人に二言はありません」

と、あのひとは絞めつけられたような声で申しました。

「わたしはあなたの僕であり、あなたのものなのです。わたしは一生涯あなたのために生きるつもりです」

バルコンをつかんだ手からは、みるみる力が失せて行きました。わたしはその上に自分の手を重ねて申しました。

「ねえ、フェリーペさん、わたしは自分ひとりの意志で、これからはもうあなたの妻なのです。明朝になったらパパに会って、わたしをもらい受けたいとおっしゃってください。パパはわたしの財産を手離したくないのです。が、結婚契約書のなかで、あなたが、その財産を受け取らないで、わたしのものとして認めてくださりさえすれば、きっと承諾してくれましょう。わたしはもうアルマンド・ド・ショーリューではございません。さあ、早く降りてください。ルイーズ・ド・マキュメールともあろうものが無分別なまねをしてはならないのですから」

翌日、約束どおりやってきたエナレスとショーリュー公爵とのあいだで結婚契約の予備交渉が行われ、すべてはルイーズの目論見通りにことが運んだ。ショーリュー公爵夫妻が娘におおいに満足したことはいうまでもない。

結婚式の日、ルイーズはナポレオン法典の定めるところにしたがって、パリ市役所で、あらかじめかわされていた結婚契約書にサインしたあと、華やかな披露宴に出席し、その夜、サント・ヴァレール教会で、結婚の誓約を行った。

しかし、この物語、ここで、めでたしめでたしで終わるわけではない。まだ、第二幕が用意されているのである。

第16章　恋愛と結婚

結婚式をあげたルイーズは、夫のマキュメール男爵が買い入れたロワール河沿いのシャントプルールの城で新婚生活を送り、完璧な幸せの中にいると感じた。その感想を、彼女は、こんなふうにルネ・ド・レストラード（旧姓モーコンブ）に書きおくっている。

「ある朝、自分がいつもよりいっそうしみじみ幸福だと感じたとき、わたしはふとわれに返り、懐かしいルネとその因習的な結婚の上に思いを馳せました。（……）純粋に社会的なあなたの結婚と、幸福な恋そのものといったわたしの結婚とは、有限が無限を理解しえないように、お互いに理解し合うことができないのです。あなたは地上にとどまり、わたしは天国にいます！（……）自分の結婚がどんなものかを味わうにつれ、これがもしこう

でなかったら、とても生きてはいられないということがどうやらわかってまいりました。それなのにあなたは生きているではありませんか？　どんな気持ちでしょう、お伺いしたいものですわ」

すごい！　いくら親友の仲だとはいえ、日本人では、これほどあけすけなことは書けないのではないか。もっとも、心を真っ二つに割ってみれば、夫から愛されていると感じる幸せな新妻の心理というのは、案外このような身勝手きわまりないものかもしれない。いずれにしろ、ルイーズは、幸せか幸せでないか、それも、ものすごく幸せかとてつもなく不幸せか、自分がはたしてどちらの状態にいるかすぐに答えを出さずにはいられないたちなのだろう。あえて名付ければ、「幸せ確認症候群」とでもいえる強迫観念にとりつかれているのだ。

パリに戻ったルイーズは、夫が購入したバック街の広壮な屋敷に居を構え、それこそ絵に描いたような幸せな生活を送る。

「わたしたちは勝手気ままな生活をしています。といっても、それは幸福な人間の、充ち足りた生活です。一日一日が、わたしにはみじかすぎるように思われます。わたしは人妻となって、また社交界へ顔を出しましたが、社交界ではマキューメール男爵夫人のほうがルイーズ・ド・ショーリューよりきれいだといっています。幸福な恋が色艶をそえてくれるのでしょう。美しく霜の降りた一月の晴れ渡った日に、星形の白い房に飾られたシャン＝

ゼリゼの並木路を、フェリーペとわたしは箱馬車のなかに肩を並べて通りすぎます。去年まで別れ別れに暮らして来たパリの町をこうして練り歩く折など、かずかずの想念《おもい》がこみあげて来て、あなたがこの前のお手紙で予感していられたように、あまりにも天の恵みに狎れすぎているのではないかと、そら恐ろしくなるほどです」

ようするに、ルイーズは、結婚生活にあっても、「愛」というアクセルをいっぱいに踏み込んで、「幸福」というスピードを最高に保っておかなければ気がすまないのだ。彼女にとって、夫婦生活の単調さや退屈さというものがあってはならず、常に夫も自分もハイな「恋愛状態」に身を置いていなければならない。しかし、当たり前のことだが、結婚生活でこんな非日常的恋愛が続くわけもないから、人工的にこの非日常性を作りだすためのなにかが必要になる。そこで彼女は社交界を利用することを思いつく。

「社交界、それはなんという深淵でしょう。（……）わたしの身を守る楯、フェリーペに対するわたしの愛がなかったら、わたしはどこまで迷いこんでしまうことでしょう？　で、けさ、そんなことを考えながら、わたしはフェリーペに向かって、あなたはわたしの救済者だと申しました。来る夜も来る夜も、お祭や、舞踏会や、音楽会や、お芝居ばかりですが、帰るみちすがら恋の喜びや気が狂うほどの嬉しさを味わうことができ、そのために心は朗かに明るく社交界で受けた傷も癒えて行くのです」

現代ならば、結婚後数年して子供のできない若妻が、スポーツ・センターに通ってみたいとかパートに出たいといいだすのに似ていなくもない。夫と一緒にいる時間が長ければ恋愛の感覚は鈍くなるから、日常をどこか別のところにつくって、夫婦でいる時間を純度の濃いものにしたいという願望だろう。

実際、この当時の社交界というものは、働いてなどいるよりもはるかに忙しいものだった。ルイーズも、母親のショーリュー公爵夫人と同じように、連日、午後の四時から深夜の二時まで、夜会、舞踏会、オペラ座、イタリア座と慌ただしく駆け巡るばかりか、週に一度は、デスパール夫人やモーフリニューズ夫人などの社交界の女王に対抗するようなエスプリあふれるサロンを開き、客を招待する。したがって、夫には昼間の数時間を割くだけになるが、しかし、マキュメール男爵は、妻を愛し過ぎているので、妻が喜ぶことは自分の幸せと考えて、ホスト役に徹する。そんな夫の気持ちを、ルイーズは見事に誤解する。

「こんなふうに、わたしたちの成功にはもはやなにひとつ足りないものはありません。（……）二年たらず前には見る影もなかったこのわたしが、ついにパリに君臨するまでになりました。マキュメールはみんなにその幸運をうらやまれています、というわけは、わたしがパリでいちばん機知のある女だからです」

ひとりごとならいざ知らず、これを親友への手紙に書くという厚顔さ、いくらフィクションだとはいえ、いくらなんでもこれではやりすぎではないかという気がするが、さすがに、親友のルネ・ド・モーコンブも、こんな話ばかり聞かされていたので、いいかげんにしろと叫びたくなったのか、マキュメール男爵とルイーズの夫妻が彼女の家を訪問したあと、なんとも厳しい手紙を書く。

「そもそもルイーズさん、あなたはあのひとを愛していないのです。二年もたたぬうちに、あなたはあのような讃美がやり切れなくなるでしょう。フェリーペのなかにひとりの夫を見いだすことは絶対にできますまい。あのひとはあなたにとってたんなる恋人で、すべての女たちが恋人にたいしてするように、あなたはなんの気苦労もなくたわむれているのです。（……）あまりにもあなたを愛しているマキュメールには、あなたを叱ったり、あなたにさからったりすることなど、絶対にできますまい。あなたの眼ざしのひとつ、甘えるようなあなたの言葉のひとつで、あのひとのどんなに強い意志もくじけてしまうのです。遅かれ早かれ、あなたはあのひとが愛しすぎるといって軽蔑なさるときが来るでしょう。（……）女の心にきざす軽蔑は、憎悪の取る最初の形です。あなたは高貴な心情の持主ですから、フェリーペの払った犠牲をいつまでも覚えていらっしゃるかもしれません。でも、いわば一身のすべてをこの最初の饗宴にささげつくした男は、その後になって、あなたをどう扱ったものか、わからなくなってしまうでしょう。（……）あなたの力を自分のためにばかり使わないで、わたしが平凡な男をすぐれた人間に仕立てているように、偉大なる人物を天才に仕上げることに誇りを抱くべきではないでしょうか？」

結婚と恋愛はまったく別という論理を忠実に守り、良妻賢母の理想になることを決意したルネ・ド・レストラードにしてみれば、恋愛状態などというものが永遠に続くわけはない以上、恋する女は一刻も早く妻に、恋する男は夫にならなければならない。主婦は恋する女の役割を演じてはならず、夫も恋する男のようなふるまいをすることは許されない。それは結婚生活のルール違反なのだ。

　これに対するルイーズの返事は、「あなたは観念でしか恋を知らない」というものだった。こうなると売り言葉に買い言葉で、ルネ・ド・レストラードも黙っていない。

「あなたがたはふたりともまるで子供です。フェリーペは猫を冠った外交官か、さもなければ裏切られるのを承知で財産のすべてを娼婦に注ぎこむような、そんなやりかたであなたを愛している男か、そのいずれかにちがいないでしょう」

　もちろん、フェリーペは「裏切られるのを承知で財産のすべてを娼婦に注ぎこむ」タイプの男だった。だから、ルイーズがルネの手紙を読んできかせると、自分としては、ルイーズと過ごす幸福な一夜のほうが全生涯より望ましい、これから先三十年も生きて五人の子をもうけるか、それともこの華やかな恋を続けて五年のうちに命を捨てるかいずれかを選べといわれたら、断然後者を取ると答えるほかはなかった。

　ところが、運命の神は、残酷にも、この「究極の選択」をしっかりと聞き届けてしまった。マキュメール男爵は結婚後五年たたないうちに、最愛の妻をあとに残して帰らぬ人となったのである。

『二人の若妻の手記』の第二部は、それから四年後、新しい恋人マリー・ガストンとの結婚を知らせるルイーズからの手紙で幕が開く。いまや、二十七歳の女盛りとなったルイーズは、マキュメール男爵の莫大な遺産を相続し、裕福な未亡人になっているが、しばらく前から、貴族でも金持ちでもない四歳年下の貧乏な詩人マリー・ガストンを熱烈に愛している。

「わたしはあのかわいそうなフェリーペに抱かせていたような激しい愛情が、ガストンにたいして、この胸のうちに湧き上がるのを感じます。わたしはもう自分を制することができません。アバンセラージュがわたしの前で慄えていたように、わたしはこの青年の前で慄えています。要するに、わたしは愛される以上に愛しているのです」

今度は、愛される女から愛する女へと、立場こそ変わっているものの、性格は変わるわけはないから、ルイーズはまたもや「幸せ確認症候群」の症状を示し始める。

「いかなる文章も、言葉も、表現も、わたしの幸福を伝えることはできないのです。わたしたちの魂にはその幸福を支えてゆく力がある、とでも申しあげたらいいでしょうか。わたしたちは幸福になるためになにひとつ努力する必要はなく、ふたりの呼吸はあらゆる点でぴったり合っています。（……）ふたりは自分たちの幸福を考えて、身悚いするばかりです」

ルイーズが本当に幸せなのか否かはいまは問わないことにしておこう。いずれにしても、ルイーズにとって重要なことは、自分は愛に生きているのだ、しかも激しい愛にという自覚であり、それを確認することによってしか、幸せの実感をもつことができない。ただ、二度目の結婚の場合、マキュメール男爵との結婚生活とはちがって、ルイーズは愛する女として生きているから、圧倒的に立場が弱い。いみじくも、バルザックがルネ・ド・レストラードの口を借りて明言したように「愛されんと欲するならば、愛するなかれ」なのである。ルイーズもこの点は承知しているから、自分が愛されているほどには愛していないふりをしている。しかし、どうしても年上女房という意識は消えないので、そんなお芝居が続くわけもない。

「あのひとがまだ若いのに、わたしは老けてしまいます。こうした考えが胸のなかにしみ透ると、わたしは一時間もあのひとの足許に取りすがり、これまでほどわたしに愛情が感じられなくなったら即座にいってくれるよう、誓いの言葉を求めるのです」

こんな誓いの言葉を毎日のように求められたら、どんな男だって最後にはいやになる。だが、それにしては、マリー・ガストンはよく耐えた。というよりも、ガストンはルイーズが夫の財産の一部を処分した百二十万フラン（十二億円）のそのまた一部を割いて購入したヴィル・ダヴレーの山荘にほとんど幽閉されていたので、耐えるほかなかったのである。

「二年ほど前に、わたしはヴェルサイユに行く路の、ヴィル・ダヴレーの沼地の上に、二十アルパンばかりの牧場と森と、美しい果樹園を買い込みました。（……）木いちごを植え込んだ丘の中腹、このあたりはとりわけ眺めがよく、眼の前には池に向かって牧場が開けているのですが、そこには小さな山荘が建ちました。（……）この山荘は、ルネさん、ほんとうにきれいな、気持ちのいいすまいです。暖房もあれば、新しい建築術の粋をつくした造作といい、百ピエ平方の宮殿といった感じです。そのなかにはガストンのアパルトマンも、わたしのアパルトマンもついています。一階は玄関と、応接間と、食堂とでできています。二階には三部屋あって、これは育児室にあてるつもりです。わたしはすばらしい馬を五頭、小型の箱馬車《クーペ》を一台、それに二頭立ての二人乗四輪馬車《ミロード》を一台持っています。というのもここはパリから四十分の距離にあるからです。オペラが聴きたくなったり、新しいお芝居が見たくなったら、昼御飯のあとで家を出て、夕方には愛の巣へ帰ってこられるでしょう」

しかし、実際にはふたりがパリに出かけることはほとんどなかった。なぜなら、ルイーズはガストンが社交界に出入りして他の女性と知りあうことを極端に恐れていたからだ。嫉妬心を起こすような機会をいっさい避けようと思えば、ただふたりだけで山荘にこもっているほかなかったのである。

といっても、ルイーズはガストンが孤独の中で退屈するのではというおびえがあったから、自分がひとつの社交界になろうと決意した。

「わたしとしては、世間の女たちが社交界のために着飾るように、毎日あのひとのためにこの身を飾りたいのです。田舎でのわたしの衣装代は一年を通じて二万四千フランに達する見込みですが、一番高いのは昼間の衣装ではありません」

二万四千フランといえば、二千四百万円である！　なんで、こんなにかかるのかといえば、一日に三回も四回も、明け方にさえ身繕いをして着替えをするからだ。ガストンがまだ眠っているあいだに起き出して、眠りの痕跡を冷たい水の力で洗い流してしまおうというのである。

しかし、ついに、こうした涙ぐましい努力が水泡に帰する日がやってくる。ある朝、お化粧をすませたルイーズは、食事の前に少し散歩しようと思ってガストンを探していると き、厩の一頭のメス馬がびっしょりと汗をかいているのを見つけた。ひかがみにパリの泥がついている。パリの泥というのは、田舎の泥とちがって真っ黒な有機性の泥なのですぐに見分けがつく。ガストンは黙ってパリに出かけたのだ。行き先を問いただすルイーズに、ガストンは明日になるまでいえないと答える。翌日、また家を出たガストンは、金の握りのついたゴムの鞭をもって帰ってきた。ルイーズの鞭が壊れたので、友人の芸術家に特製の鞭を作ってもらいプレゼントにしようとしたのだという。だが、ルイーズは鞭にヴェルデという鞭商人の名前があるのを見逃さなかった。翌日、彼女はヴェルデの店に行き、前日にガストンが鞭を購入したことを確かめると、ガストンを厳しく問い詰めたが、ガストンはついに口を割らなかった。

嫉妬に狂ったルイーズは、ガストンに与えた三万フラン（三千万円）の金が残っているかどうか調べたが、金はあとかたもなく消えうせていた。やがて、疑いはついに現実のものとなってあらわれた。

「わたしはパリに出て、ガストンの行く家の真向かいにある家の一部屋を借りました。あのひとが馬に乗って中庭へはいって行くのをわたしはこの眼で見ることができました。おお！　恐ろしい身の毛もよだつような真相を、わたしはあまりにも早く知ったのです。三十六くらいに見える例のイギリス女はガストン夫人と名乗っています。この発見はわたしには致命的な打撃でした。ともかく、女がふたりの子供を連れてチュイルリへ出かけるのを見たときの気持ったら……ほんとうに！　ルネさん、ふたりの子供はガストンに生き写しなんですもの」

ショックは大きかった。死を決意したルイーズは、わざと夜露にぬれて肺炎にかかった。が、そこにルネからの手紙が届いた。心配したルネが知り合いの警視総監に頼んでガストンの身許を洗ってもらったところ、ルイーズが目撃したガストン夫人というのは、ガストンの兄ルイ・ガストンの未亡人でふたりの子供はガストンの甥だったことが判明したのである。ガストンの三万フランも、無一文で残された義姉一家の援助に使われていたのだった。真相がわかったときには、すでにルイーズは危篤状態におちいって余命いくばくもなかった。駆けつけたルネに見取られて、ルイーズは息を引き取った。

「結婚というものを情熱の上に築き上げることは不可能で、恋愛の上に打ち立てることさえ許されません」

これが彼女の臨終の言葉だった。そして、この結論こそは、バルザックが彼の読者たる全国の若妻にあてたメッセージだったのである。

エピローグ

外部から隔離された修道院の寄宿学校で、恋と結婚についての夢を無限にふくらませ、社交界や舞踏会にあこがれていたルイーズ・ド・ショーリューとルネ・ド・モーコンブ。このふたりが修道院を出たあとにたどった人生の軌跡はあまりに対照的だった。

持参金がないゆえに、親に勧められた相手との気に染まぬ結婚を承諾したその日から、恋愛というものをきっぱりとあきらめて、単調な夫婦生活の中で、夫の出世と、子供の成長を頼りに、幸福になる手段を見つけてゆこうと努めた良妻賢母型のルネ・ド・モーコンブが人生において与えられた「愛」の総量を細く長く使ってゆこうとするタイプであるとすれば、いっぽうのルイーズ・ド・ショーリューは、太く短く「愛」を燃焼させずにはい

られないファム・ファタル型の女だった。ルイーズは、いわば「フル・スロットルの恋」に生き、「瞬間速度の幸福」で自らを駆り立てなければ満足できない「破滅型の愛の天才」だったがゆえに、その人生は短距離走で終わるほかなかったのである。

ルネは、ルイーズにこう書き送っている。

「もう一度くり返して申しますが、あなたは幸福によって身を滅ぼすでしょう。ほかの人たちが不幸で身を滅ぼすように。わたしたちをちっとも疲れさせないもの、沈黙や、パンや、空気などは、それらが味をもっていないために、非の打ちどころがないのです。それにひきかえ、あまりに味の濃いものは、わたしたちの欲望を刺激し、ついにはわたしたちをあきさせてしまいます。（……）結婚生活のなかで均一にして純粋な力とならねばならぬ感情を、情熱の状態におくことによって、あなたは病人の生活をなさっているのです。（……）そうです、あなたの恋のなかにはあなただけしかありませんし、あなたはガストンをあのひとのために愛するよりも、むしろご自分のために愛していらっしゃるにちがいないのです」

たしかに、なにもかもルネのいうとおりだろう。

だが……。

人生が理性だけですべて解決できるものなら、そんなものは人生ではないし、生きる価値もない。ルネの人生も女の一生なら、ルイーズの人生もまた見事な女の一生だったのである。

「わたしは、人生を味わいつくしました。世の中には人々を取り締まる仕事を六十年もつづけながら、ほんとうに生活したのは二年しかないといった人たちもあるのに、わたしの場合は反対に、わずか三十年しか生きていなかったように見えて、実際は六十年の恋をもったのです」

こうなると、もはや、どちらかを選ぶしかない。だが、選択は生まれたときから決まっているのである。

あとがき

本書は、ジュエリー雑誌『ＫＩＬＡ』（徳間書店）に、一九九二年六月号から一九九三年十二月号まで一年半にわたって連載した『ヒロインたちのパリ Paris en rêve』を土台にして、全体的にほぼ倍以上に筆を加えて一巻としたものである。

雑誌が休刊となってしまったので、筆の勢いが途切れ、書き足すのにひどく時間がかかったが、このたび、作品社の加藤郁美さんの熱心な慫慂によって、ようやく一冊の本にまとめることができた。それればかりか、第3章で話題にしたジラルダン編集の『テ・モード』のファッション・プレートをふんだんに使った豪華で華麗な本に仕上げていただいた。加藤さん、デザイナーの阿部聡さん、ほんとうにありがとう。それに、本書のきっかけを作っていただいた『ＫＩＬＡ』編集長（当時）山下耕二さんと編集部員（当時）の雁食聡美さんに、この場をお借りして、心からのお礼を申しあげたい。最後に、この本を手に取っていただいた読者の方々に。

さてさて、プロローグで予告したような十九世紀パリのハイ・ライフをお楽しみいただけたでしょうか？　最後に、ちょっぴり暗くなってしまったのが気がかりですが、あとは、なんとか、予定の時間旅行を終えることができたような気がします。これを機会に、十九世紀のフランス小説に親しんでいただけたら幸いです。

一九九七年一月二十四日

鹿島　茂

文庫版によせて

変わるようで変わらず、変わらないようで変わるのが男女の力関係だが、近年、日本で話題になっているのが、年齢差のある男女の結婚だろう。それも、年配の男性と若い女性という組み合わせではない。かなり経験を積んだ年上の女性と、未経験な若い男性との結婚が増えてきているのだ。これはなにを意味するのだろうか？

おそらく、結婚年齢が上がったため、結婚というものが、子孫を残すための「性欲と生殖のための結婚」から、「文化と教育のための結婚」へと変化してきているからなのだろう。すなわち、性欲と生殖のためなら、年の差がない若い男女がボーイ・ミーツ・ガール形式で出会って結婚すればいいのだが、結婚に文化と教育を求めるようになってくると、どちらかが先生になる必要がある。そこで、必然的に年齢差が要求されるようになるのである。そして、近ごろ圧倒的に増加しているのが、先生になりたがる女と生徒になりたがる男である。情けないというなかれ。これも文化の必然の一つなのだ。年上女房の多寡は文明進化のバロメーターなのである。

その良い証拠が、本書で、ヒロインとしてとりあげた『二人の若妻の手記』のルイーズ・ド・ショーリューだろう。ルイーズは、若いときには、年上の包容力のあるエナレスと結婚するが、エナレスが死んだ後、今度は一転して、若いガストンと再婚し、「恋人であり母であり先生でもある」ような「妻」になろうと試みて、失敗する。この物語は一見、一人の女の一生を描いているように見えながら、じつは、結婚というものの形態的進化をも示しているのである。それは、ルイーズという個体の変化であると同時に、求められる結婚から求める結婚へと進む女性そのものの系統的進化も反映しているのだ。

おそらく、今後、日本でも、ますますこの傾向が進み、文化的教育者としての年上女房の役割が重要になってくるだろうが、フランスでは、本書で例証したように、すでに二世紀近く前から、「社交界」というかたちで、こうした女性主導の男女関係が存在していたのである。それは、いわば制度化された「感情教育」の場だったのである。

この意味で、フランス貴族社会の結婚と社交界の生態を描いた本書は、新しいかたちの結婚を目指す女性にとって、おおいに参考になるかもしれない。少なくとも、著者としては、そうなることを願っている。

文庫化にさいしては、『パリ時間旅行』のときと同様、中央公論新社の深田浩之氏にお世話いただいた。記して、感謝の気持ちを伝えたい。それに楽しい解説を書いていただいた岸本葉子さんにも心よりのお礼を申しあげたい。

二〇〇〇年二月九日

鹿島　茂

引用文献一覧

バルザック『二人の若妻の手記』（鈴木力衛訳、「バルザック全集16」、東京創元社）・『幻滅』（生島遼一訳、「バルザック全集11・12」、東京創元社）・『ゴリオ爺さん』（平岡篤頼訳、新潮文庫）・『優雅な生活論』（山田登世子訳、『風俗研究』藤原書店に収録）・『浮かれ女盛衰記』（寺田透訳、「バルザック全集13・14」、東京創元社）

フロベール『ボヴァリー夫人』（山田𣝣訳、中央公論社）

モーパッサン『女の一生』（宮原信訳、筑摩書房）

ユゴー『レ・ミゼラブル』（佐藤朔訳、新潮文庫）

フィリップ・ペロー『衣服のアルケオロジー』（大矢タカヤス訳、文化出版局）

Jules Janin, EN ETE A PARIS（Aubert & Curmer, 1843）.

Septfontaines, L'ANNE MONDAINE 1889（Balland, 1981）.

G. de Bertier de Sauvigny, LA FRANCE ET LES VU PAR LES VOYAGEURS AMERICAINS 1814-1848（2vol, Flammarion, 1982-85）.

Madame de Girardin, LETTRES PARISIENNES（2vol, Mercure de France, 1986）.

翻訳のあるものは原則として訳文をお借りしたが、部分的に拙訳に置き換えた個所のあることをお断りしておく。未訳のものはすべて拙訳による。

図版出典一覧

以下、すべて手元の資料を使用した。

カバー表1、カバー表4、カラー口絵全点、p.7, p.13, p.28, p.53, p.60, p.67, p.86, p.93, p.105, p.123, p.171, p.186
LA MODE, Revue des modes—Galerie de moeurs—Album des salons, 1829–1831.

p.17, p.23, p.198——PARIS-LONDRES, Keepsake Francais 1838（Paris, Delloye Desmé & Cie, 1838）.

p.19——LES FRANCAIS PEINTS PAR EUX-MEMES（8vol, Paris, Curmer, 1840–42）.

p.74, p.80, p.163, p.167——PARIS AU DIX-NEUVIEME SIECLE, Recueil de scêne de la vie parisienne（Paris, Beauger et Cie, 1841）.

p.108-109——Jules Janin, UN ETE A PARIS（Paris, Aubert & Curmer, 1843）.

p.118-119, p.136-137, p.161, p.174-175——Jules Janin, UN HIVER A PARIS（Paris Aubert & Curmer, 1843）.

p.134——DIABLE A PARIS—Paris et Parisiens—（Paris, Hetzel, 1845–46）

p.127——PARIS-GUIDE, par les principeaux écrivains et artistes de la France（2vol, Paris, Lacroix, Verboeckhoven, 1867）.

『明日は舞踏会』　一九九七年三月　作品社刊

玉の輿も楽じゃない

岸本葉子

舞踏会。わくわくする響きではありませんか。

私たちのほとんどは、舞踏会なんて出たことがない、いえ、一生、ファーストステップを踏み出さずに終わるでしょうが、イメージはしっかりと頭の中にでき上がっている。

ドレスの裾をつまんで、馬車を降りれば、まばゆいばかりの玄関ホール。滑り台ほどもある手すり付きの階段が、広間へと導く。そこでは、どんな女性も、魔法をかけられたように美しく生まれ変わることができ、すてきな男性との出会いが待っている。その人は実は大金持ちで、すっ転んで脱げた靴の片割れをよすがに、いつか私を迎えにこないとも限らない。そう、一夜の夢であるだけでなく、あわよくば人生変わる。そうした下心を含めて、心が躍る響きなのです。

子どもの頃読んだ、シンデレラのお話のせいですね。そして、いつまでも理解がその範囲を出ない。

ならば、十九世紀パリのほんものの舞踏会を覗き見させてあげましょうというのが、本書です。案内役は鹿島茂さんと、バルザックの『二人の若妻の手記』の主人公ルイーズ。読者のかたは、すでにおわかりのように、このルイーズが、修道院時代の友、ルネに宛てた報告が、まことに微に入り細をうがっている。さながら社交界実況中継。これほどしつこく羨ましがらせても、友情はとぎれなかったのですから、修道院で育まれた絆は、固いものなのですね。

修道院から家に戻ったルイーズが、まず驚いたのは、社交界の女王たる母親の忙しさでした。舞踏会、夜会、音楽会、お芝居と、夜中の二時、どうかすると四時、五時まで、慌ただしく駆けずり回る。

こんなハードスケジュールなら、昼間は死んだように寝ていたい。でも、そんな暇はありません。お化粧とドレスアップに一、二時間はかかるし、何よりも午後の散策がある。この散策、娘が修道院から八年ぶりに帰ってくる日も、娘そっちのけで出かけたほど、貴婦人にとっては欠かせぬ日課です。なんでそんなに重要なのかも、本書にとくと説明されておりますが。

しかも、その合間を縫って、若い男と逢引もしなければならないし。体力がなければ勤まりません。

この母親に仕込まれて、ルイーズは一人前のレディになっていくのです。

メイキング・オブ・レディのプロセスも、本書には事こまかに描かれます。まずは、コルセットによる人体改造。膨らんだバスト、くびれたウエスト、突き出たヒップをよしとするモードの規範に、おのが身を合わせます。このコルセット、最初の出産後ですでに「生存率」が六十パーセントいくかいかないかという、過酷な代物。そのつらさたるや、現代のボディスーツの比ではありません。

それでもルイーズは、耐え難きを耐え、忍び難きを忍びます。なぜって、憧れの社交界にデビューするためには、避けて通ることのできない儀式ですから。

仕立屋、靴屋、手袋屋が、次々と寸法を取りにきます。既婚女性の方が、下着のおしゃれに気を配ったとは、リアルですね。何のためかは明白です。誰が夫になぞ見せましょう。ルイーズはれっきとした未婚女性ですから、もっぱら人目にふれる部分に、磨きをかけます。髪を結いドレスを着けて靴を履き、頭のてっぺんからつま先まで装束を整え、いざ出陣。

本書では、舞踏会に臨む前に、シャン＝ゼリゼでの小手調べが出てきますね。気ままな散策とは表向き、内実は「自分がいかに金持ちでエレガントで美しいかを男たちに見せつけること」であり、ルイーズのような新参者には、おのれの美の等級を確かめる場でもありました。

男と女の交す眼差しもさることながら、私などは、女どうしの視線のバトルに、想像がいってしまいます。今日でもブランド品で飾り立てたどうしは、すれ違いざまはっしと視線を投げ合って、勝ち負けを瞬時に見定めるといいますが、しょせんはミエの張り合い。ルイーズたちの動機は、実利そのもの、いきおい真剣勝負にならざるを得ない。

そう、きらびやかなイメージとは裏腹に、社交界は熾烈な競争社会。男も女も「家柄」「財産」「若さ」「美貌」の四つの分野の持ち点制度で、競います。本書で説明されているように、自分だけでなく、家族の将来がかかっています。ゲームと呼ぶには、賞金とリスクがあまりに大きい。

「ありのままの自分でいれば、いつか誰かが見い出してくれる」といった、現代日本の女の子が好きなサクセスへの図式は、そこでは通用しません。性格のかわいさなんぞ、ポイントにもならない。持ち点ゼロの人は参加資格すらないことは、言うまでもありません。

それにしても、聞きしにまさるあからさまな世界です。劇場の席の位置まで、家柄の優劣、力関係が決するなんて。ボックス席でも舞台袖と正面左右とでは、意味が全然違うんですね。

私はもともと気が短く、長い長い十九世紀小説にはイライラし、ストーリーに関係なさそうな描写がえんえん続くと、

「結論を早く言え、結論を！」

とあおりたくなるのですが、読みとばしがちな細部にこそ、登場人物の心理や、物語を

展開させる動機づけが、ちりばめられていると知りました。

持ち点の四分野のうち、「家柄」「財産」「若さ」は、努力ではいかんともしがたい。なので、残る一つの「美貌」に力を注ぎます。母親としたら、結婚市場における娘の商品価値を高めるためだから、必死です。コルセットで胴をぎゅうぎゅう締め上げるという、拷問ばりのこともいといません。十九世紀版ステージママです。

考えてみれば、ルイーズのママは、出産後も六十パーセントの生存率をくぐり抜け、娘が年頃になるまで生き延びて、今なお社交界に君臨し、現役で恋もしているという、頑強な体の持ち主です。少数精鋭組なのです。

当然、娘にも同じかそれ以上のことを期待します。父母の一致した望みは、「持参金なしでも嫁にもらいたいと申し出るような相手があらわれてくるように、社交界で魅力をふりまくこと」。これは処女には難題です。詰めの段階となれば、男の気をひきつつ、焦らせ、少しでも有利な条件を引き出すという、クロウト並みの手練手管を用いなければならないのですから。

われらがヒロイン、ルイーズは、その要求によく応えました。一連の経過を見てきて思うのは、

「玉の輿に乗るのも、楽じゃない」

ということ。いつの時代も、棚ボタ式に転がり込んでくる幸せなんて、あり得ない、と。

でも、乗ってしまえばこっちのものです。ばら色の人生が約束されます。持参金なしですんだばかりか、うまいこと夫が早く死ねば、莫大な遺産がわがものになる。それを思えば、舞踏会にかける投資も何のそのです。

むろん、貴婦人のならいで、夫がいようが、男はつくりたい放題。結婚後の恋愛は、今ふうに言えば「頑張った自分へのご褒美」ですね。くれぐれも注意すべきは、愛し過ぎないことです。苦労して勝ち取った幸せが、台なしになってしまいます。

どうでした？　十九世紀の貴婦人の一生は。羨ましいところもあるけれど、なかなかにたいへんでしょう。

皆さんはどちらの生き方を選びますか、なんて質問は、しないでおきます。うら若き乙女をかくも輝かせ、また翻弄した、華麗にして罪深い装置は、今はもうないのですから。

中公文庫

明日《あした》は舞踏会《ぶとうかい》

2000年3月25日　初版発行
2019年9月5日　4刷発行

著　者　鹿《か》島《しま》　茂《しげる》

発行者　松田陽三

発行所　中央公論新社
〒100-8152　東京都千代田区大手町1-7-1
電話　販売　03-5299-1730　編集　03-5299-1890
URL http://www.chuko.co.jp/

印　刷　三晃印刷
製　本　小泉製本

Published by CHUOKORON-SHINSHA, INC.
Printed in Japan　ISBN978-4-12-203618-5 C1122

各書目の下段の数字はISBNコードです。978-4-12が省略してあります。

中公文庫既刊より

か-56-1
パリ時間旅行
鹿島茂
オスマン改造以前、19世紀パリの原風景へと誘うエッセイ集。ボードレール、プルーストの時代のパリが鮮やかに甦る。図版多数収載。〈解説〉小川洋子
203459-4

か-56-3
パリ・世紀末パノラマ館　エッフェル塔からチョコレートまで
鹿島茂
19世紀末、先進、躍動、享楽、芸術、退廃が渦巻く幻想都市パリ。その風俗・事象の変遷を遍く紹介する魅惑の時間旅行。図版多数。〈解説〉竹宮惠子
203758-8

か-56-4
パリ五段活用　時間の迷宮都市を歩く
鹿島茂
マリ・アントワネット、バルザック、プルースト――パリには多くの記憶が眠る。食べる、歩くなど八つのテーマでパリを読み解く知的ガイド。〈解説〉にむらじゅんこ
204192-9

か-56-5
衝動買い日記
鹿島茂
「えいっ！買った」。腹筋マシーン、猫の家から挿絵本まで全24アイテム……ムッシュウ・カシマの衝動買い顚末記。巻末に結果報告を付す。〈解説〉百瀬博教
204366-4

か-56-9
文学的パリガイド
鹿島茂
24の観光地と24人の文学者を結ぶことで、パリの文学的トポグラフィが浮かび上がる。新しいパリが見つかる、鹿島流パリの歩き方。〈解説〉雨宮塔子
205182-9

か-56-10
パリの秘密
鹿島茂
エッフェル塔、モンマルトルの丘から名もなき通りの片隅まで……時を経てなお、パリに満ちる秘密の香り。夢の名残を追って現代と過去を行き来する、瀟洒なエッセイ集。
205297-0

か-56-11
パリの異邦人
鹿島茂
訪れる人に新しい生命を与え、人生を変えてしまう街――パリ。リルケ、ヘミングウェイ、オーウェルら、触媒都市・パリに魅せられた異邦人たちの肖像。
205483-7